Diogenes Taschenbuch 23486

Joseph Conrad

Herz der Finsternis

Erzählung
Aus dem Englischen und mit einem Nachwort von Urs Widmer

Diogenes

Originaltitel: ›Heart of Darkness‹
Die Erzählung erschien zuerst
in *Blackwood's Magazine*, London/Edinburgh 1899,
sowie als Buchausgabe im Band
Youth, a Narrative and Two Other Stories,
London 1902
›Herz der Finsternis‹ erschien 1977
als Lizenzausgabe in der
Übersetzung von Fritz Lorch
im Diogenes Verlag
Umschlagillustration: André Derain,
›Arbre, paysage au bord d'une rivière‹,
1904/05 (Ausschnitt)

Veröffentlicht als Diogenes Taschenbuch, 2005

www.diogenes.ch
30/08/8/2
ISBN 978 3 257 23486 2

Inhalt

I

Die *Nellie*, eine Hochseejacht, drehte sich ruhig um ihren Anker, ohne daß ihre Segel sich auch nur ein bißchen regten. Die Flut hatte eingesetzt, es war nahezu windstill, und da wir stromabwärts wollten, blieb uns nichts anderes übrig, als auf Wind und den Wechsel der Gezeiten zu warten.

Die Mündung der Themse lag wie der Anfang einer endlosen Wasserstraße vor uns. In der Ferne verschmolzen das Meer und der Himmel, und in dem leuchtenden Raum schienen die Segel der Barken, die mit der Flut hochtrieben, bewegungslos zu schweben, rote Tuchhaufen, über denen zuweilen lackierte Spriete glänzten. Dunst lag über den niedern Ufern und löste sich im flachen Wasser auf. Die Luft war dunkel über Gravesend und schien weiter landeinwärts zu einer noch weit trostloseren Düsternis verdichtet, die schwer über der größten, der herrlichsten Stadt auf Erden hing.

Ein Direktor mehrerer Unternehmen war unser Kapitän und Gastgeber. Wir vier betrachteten angerührt seinen Rücken, während er im Bug stand und aufs Meer hinaussah. Auf dem ganzen Fluß gab es nichts, was auch nur halb so seemännisch ausgesehen hätte. Er glich einem Lotsen, der – für einen Seemann – fleischgewordenen Vertrauenswürdigkeit. Kaum vorstellbar, daß seine Arbeit nicht dort draußen in der lichtvollen Flußmündung, sondern hinter ihm im Dunkeln lag.

Uns verband, wie ich schon anderswo ausgeführt habe, die See. Zum einen hielt dies unsre Herzen in Zeiten langer Trennungen zusammen, und zum andern bewirkte es, daß wir alle Lügengeschichten nachsichtig hinnahmen – und sogar das, was einer felsenfest glaubte. Der Rechtsanwalt – ein alter Goldschatz – hatte, seiner vielen Jahre und vielen Verdienste wegen, das einzige Kissen an Deck und lag auf der einzigen Wolldecke. Der Buchhalter hatte bereits eine Schachtel voller Dominosteine hervorgeholt und baute sie zu einem kunstvollen Gebäude auf. Marlow saß mit gekreuzten Beinen bolzgerade da und lehnte sich an den Besanmast. Seine Wangen waren eingefallen, sein Gesicht war gelb, sein Rücken steif, er sah asketisch aus und glich, weil er seine Arme hängen ließ und die Handflächen nach außen kehrte, einem Götzenbild. Der Direktor hatte sich überzeugt, daß der Anker hielt, kam nach achtern und setzte sich zu uns. Wir wechselten ein paar Worte, faul. Danach herrschte Schweigen an Bord der Jacht. Aus irgendeinem Grund fingen wir nicht mit dem Dominospiel an. Wir fühlten uns nachdenklich und nur dazu fähig, friedlich vor uns hin zu glotzen. Der Tag ging in einem klaren, stillen und wunderbaren Glanz zu Ende. Das Wasser glitzerte friedvoll; der Himmel, ohne einen Makel, war eine wohltuende Unendlichkeit reinen Lichts; sogar der Dunst der Sümpfe von Essex glich einem Gewebe aus leuchtender Gaze, das von den waldigen Höhen des Binnenlands herabhing und seine durchsichtigen Falten über die flachen Ufer warf. Nur die Düsternis im Westen, die weiter oben über dem Fluß lag, wurde von Minute zu Minute tiefer, als reize sie das Nahen der Sonne.

Und endlich sank die Sonne in einem krummen und nicht wahrnehmbaren Sturz zum Horizont hinunter und war nun nicht mehr gleißend weiß, sondern dumpf und rot und ohne Strahlen und Wärme, als wolle sie gleich verlöschen, tödlich getroffen, weil sie jene Düsternis berührt hatte, die über einer Masse aus Menschen lastete.

Sofort veränderte sich das Wasser, und es wurde weniger klar und leuchtend, dafür um so tiefgründiger. Die breite Mündung des alten Flusses lag, während der Tag verging, spiegelglatt da, nach Jahrhunderten treuer Dienste, die er den Geschlechtern an seinen Ufern geleistet hatte. Er breitete sich mit der stillen Würde einer Wasserstraße aus, die zu den entferntesten Enden der Erde führt. Wir betrachteten den Strom nicht mit dem heftigen Gefühlssturm eines kurzen Tags, der kommt und für immer geht, sondern im erhabenen Licht bleibender Erinnerungen. Und tatsächlich ist für jemanden, der, wie man wohl sagt, »mit Leib und Seele zur See fuhr«, nichts einfacher, als in der Mündung der Themse den großen Geist vergangener Tage zu beschwören. Ihre unaufhörlich wechselnden Gezeiten sind voller Erinnerungen an Menschen und Schiffe, die sie einst in ihr friedliches Heim oder zu Seeschlachten trug. Sie hatte all die Männer gekannt und befördert, auf die die Nation stolz ist, von Sir Francis Drake bis zu Sir John Franklin, all die hochwohlgeborenen und all die nicht ganz so edlen Ritter – die großen fahrenden Haudegen der See. Sie hatte all die Schiffe getragen, deren Namen wie Juwelen in der Nacht der Zeit leuchten, von der *Golden Hind,* deren runde Wände voller Schätze waren und von Ihrer Majestät der Königin besucht wurden – was die gewaltige Geschichte zu einem guten Ende brachte –, bis hin zur *Erebus* und zur *Terror,* die zu andern Raubzügen aufbrachen und nie zurückkehrten. Sie hatte die Schiffe und die Menschen gekannt. Sie waren in Deptford, in Greenwich, in

Erith aufgebrochen – die Abenteurer und die Auswanderer; Schiffe des Königs und die Schiffe der Londoner Spekulanten; Kapitäne, Admirale, die finsteren »Schmuggler« des Osthandels und die konzessionierten »Generäle« der *East-India-Company*-Flotte. Goldsucher und Ruhmsüchtige, alle waren sie auf diesem Strom in die Ferne gefahren, mit dem Schwert in der Hand, und oft mit der Fackel der Aufklärung, Boten der Macht des zurückgelassenen Lands, Träger eines Funkens der heiligen Flamme. Wieviel Kraft und Größe war nicht mit der Ebbe dieses Flusses zu den Rätseln einer unbekannten Welt hinausgetrieben worden! Die Träume von Menschen, das Saatgut neuer Staaten, die Keime von Weltreichen.

Die Sonne ging unter; die Dämmerung brach über den Strom herein, und Lichter begannen längs der Küste aufzuleuchten. Der Leuchtturm von Chapman, ein dreibeiniges Ding, das in einer Untiefe voller Schlick stand, strahlte hell. Lichter von Schiffen bewegten sich in der Fahrrinne – ein Gewimmel aus Lichtern, die auf- und abwärts fuhren. Und weiter im Westen, stromaufwärts, war der Standort der monströsen Stadt immer noch wie ein böses Vorzeichen am Himmel festgehalten, ein unheilschwanger düsterer Fleck im Schein der Sonne, ein gespenstisches Leuchten unter den Sternen.

»Und das hier«, sagte Marlow plötzlich, »ist auch einer der finstern Orte der Erde gewesen.«

Er war der einzige von uns, der immer noch »dem Lockruf der See gehorchte«. Das Schlimmste, was man ihm nachsagen konnte, war, daß er seinen Berufsstand nicht besonders gut vertrat. Er war ein Seemann, aber er war auch ein Herumgetriebener, während die meisten Seeleute ein, falls man das so ausdrücken darf, seßhaftes Leben führen. Ihr Gemüt ist häuslich, und ihr Haus begleitet sie überallhin – das Schiff; und das tut auch ihre Heimat – das Meer. Ein Schiff sieht wie das andere aus, und das Meer ist immer das gleiche. Ihre Umgebung ist so unveränderlich, daß die fremden Küsten, die fremden Gesichter, die wechselnde Unendlichkeit des Lebens einfach an ihnen vorbeigleiten, und sie sind dabei nicht etwa so ahnungslos, weil sie all die Rätsel respektieren, sondern wegen ihrer leicht verachtungsvollen Ignoranz. Denn einem Seemann ist nichts geheimnisvoll, außer dem Meer selbst, das der Herr seines Lebens und so unergründlich wie das Schicksal ist. Im übrigen genügt ihm, nach einem Arbeitstag, ein kleiner Bummel oder ein gelegentliches Besäufnis an Land, um ihm das Geheimnis eines ganzen Kontinents zu offenbaren, und in der Regel findet er nichts Besonderes daran. Die Erlebnisberichte der Seeleute sind von einer gradlinigen Schlichtheit, und ihr ganzer Sinn findet in einer Nußschale Platz. Aber Marlow war nicht typisch (von seiner Neigung, Geschichten zu erzählen, einmal abgesehen), und für ihn lag der Sinn einer Begebenheit nicht in ihrem Innern, wie ein Kern, sondern außen; er umhüllte die Erzählung, die ihn nur so, wie Glut Rauch hervorbringt, erkennbar ließ, ähnlich einem jener Dunsthöfe, die man zuweilen im geisterhaften Licht des Monds sehen kann.

Seine Bemerkung überraschte keinen von uns. Sie paßte zu Marlow. Sie wurde schweigend aufgenommen. Keiner machte sich auch nur die Mühe zu grunzen; und dann sagte er sehr langsam –

»Ich dachte eben an sehr alte Zeiten, als die Römer zum erstenmal hierher kamen, vor neunzehnhundert Jahren – kürzlich also ... Licht strahlte seitdem aus diesem Fluß auf – wer hat eben von Rittern gesprochen? Ja; aber das ist wie ein rasendes Feuer in einer Ebene, wie ein Blitz in den Wolken. Wir leben in diesem jähen Licht – möge es leuchten, solange sich die gute alte Erde dreht! Aber Finsternis herrschte hier noch gestern. Stellt euch die Gefühle eines Kommandanten einer prächtigen – wie hießen die Dinger nur? – Trireme im Mittelmeer vor, der plötzlich in den Norden versetzt wird; in aller Eile hetzt man ihn auf dem Festland durch Gallien;

übergibt ihm das Kommando über eins dieser Schiffe, von denen die Legionäre – sie müssen ein prächtiger Haufen handfertiger Männer gewesen sein – damals offenbar ein paar hundert Stück in ein, zwei Monaten zu bauen imstande waren, wenn wir glauben wollen, was wir darüber lesen. Stellt ihn euch hier vor – am Arsch der Welt, das Meer wie aus Blei, der Himmel rauchfarben, auf einem Schiff, das so widerstandsfähig wie eine Ziehharmonika ist –, wie er mit Nachschub oder Befehlen oder was auch immer diesen Fluß hochfährt. Sandbänke, Sümpfe, Wälder, Wilde – verdammt wenig zu essen für einen zivilisierten Menschen, und nur Themsewasser zu trinken. Kein Falerner Wein hier, kein Landurlaub. Dann und wann ein Militärlager, das wie eine Nadel in einem Heuhaufen in der Wildnis verloren liegt – Kälte, Nebel, Stürme, Seuchen, Exil und Tod – ein Tod, der in der Luft, im Wasser, im Busch lauert. Sie müssen hier wie die Fliegen gestorben sein. Oh, ja – er tat, was er tun mußte. Tat es sogar sehr gut, zweifellos, und auch ohne allzuviel darüber nachzudenken, außer, vielleicht, viel später, wenn er mit dem angab, was er zu seinen Zeiten getrieben hatte. Sie waren Manns genug, sich der Finsternis zu stellen. Und vielleicht munterte er sich auf, indem er die Möglichkeit einer gelegentlichen Versetzung zur Flotte nach Ravenna nicht aus den Augen verlor, falls er gute Freunde in Rom hatte und das gräßliche Klima überlebte. Oder denkt an einen anständigen jungen Mann in einer Toga – vielleicht hat er zuviel gewürfelt, oder so was –, der im Gefolge irgendeines Präfekten oder Steuereintreibers oder Kaufmanns gar hier landet, um seine Finanzen aufzubessern. Geht mal in einem Sumpf an Land, marschiert durch die Wälder, und spürt dann in einem Stützpunkt im Innern des Lands, wie die Wildnis, die reine Wildnis sich rings um euch geschlossen hat – dieses ganze geheimnisvolle Leben der Wildheit, die sich in den Wäldern, in den Sumpfdickichten, in den Herzen der Eingeborenen regt. In solche Geheimnisse wird man ja auch nicht eingeweiht. Er muß mitten im Unverständlichen leben, das zudem widerwärtig ist. Faszinierend ist es allerdings auch, und er beginnt das zu spüren. Die Faszination des Grauens – ihr versteht schon, was ich meine. Stellt euch die immer größer werdende Reue vor, die Sehnsucht abzuhauen, den ohnmächtigen Abscheu, die Unterwerfung, den Haß.«

Er schwieg.

»Allerdings«, fuhr er fort und hob, die Handfläche nach außen gewandt, einen Arm bis auf die Höhe des Ellbogens, so daß er, mit seinen gekreuzten Beinen, wie ein Buddha aussah, der in europäischen Kleidern und ohne Lotosblume predigte –

»Allerdings würde keiner von uns genau so empfinden. Was uns rettet, ist unsre Tüchtigkeit – unsre Vergötterung der Tüchtigkeit. Diese Kerle aber taugten wirklich nicht viel. Sie waren keine Kolonialisten; ihre Administration saugte das Land aus, und nur das, vermute ich. Sie waren Eroberer, und dafür reicht rohe Gewalt – wie sollte man darauf stolz sein, da die eigne Stärke doch nur die Folge der Schwäche anderer ist? Sie schnappten sich, was sie kriegen konnten, möglichst viel. Es war ganz einfach Raub unter Anwendung von Gewalt, Mord in großem Stil und ohne mildernde Umstände, von Männern verübt, die blindlings handelten – was für all jene bezeichnend ist, die mit einer Finsternis fertig werden wollen. Die Eroberung der Erde, die meistens darauf hinausläuft, daß man sie denen wegnimmt, die eine andere Hautfarbe oder etwas flachere Nasen als wir haben, ist keine hübsche Sache, wenn wir ein bißchen genauer hinsehen. Was das Ganze erträglich macht, ist nur die Idee. Eine Idee dahinter: kein sentimentaler Vorwand, sondern eine Idee; und ein selbstloser Glaube an die Idee – etwas, woran man sich halten und vor dem man sich verneigen und dem man auch Opfer bringen kann ...«

Er hielt inne. Flammen glitten durch den Fluß, kleine grüne Flammen, rote Flammen, weiße Flammen, die sich verfolgten, überholten, kreuzten – und sich langsam oder hastig trennten. Der Verkehr der großen Stadt ging in der dunkler werdenden Nacht auf dem schlaflosen Fluß weiter. Wir schauten zu, warteten geduldig – bis zum Ende der Flut gab es sonst nichts zu tun; aber erst als er nach einem langen Schweigen mit zögernder Stimme »Ich vermute, ihr erinnert euch, daß ich auch mal ein Süßwassermatrose war« sagte, wußten wir, daß wir, bis die Ebbe kam, dazu verdonnert waren, eins von Marlows unwahrscheinlichen Abenteuern anzuhören.

»Ich will euch nicht mit dem langweilen, was mir persönlich zustieß«, fing er an und zeigte gleich mit dieser Bemerkung eine Schwäche vieler Geschichtenerzähler, die so oft keine Ahnung zu haben scheinen, was ihre Zuhörer am meisten interessiert. »Aber um die Wirkung zu verstehen, die das alles auf mich hatte, solltet ihr doch wissen, wie ich dorthin kam, was ich sah, wie ich jenen Fluß bis zu dem Ort hochfuhr, wo ich den armen Kerl zum erstenmal traf. Es war der entfernteste noch schiffbare Ort und der Höhepunkt meiner Erfahrungen. Diese schienen eine Art Licht auf alles um mich herum zu werfen – und auch auf meine Gedanken. Sie waren im übrigen finster genug – trostlos geradezu – keineswegs außerordentlich jedenfalls – und auch nicht sehr klar. Nein, nicht sehr klar. Und doch schienen sie eine Art Licht zu werfen.«

»Ich war damals, ihr erinnert euch, eben nach London zurückgekehrt, nach einer Ewigkeit im Indischen Ozean, im Pazifik, im Chinesischen Meer – einer happigen Dosis Osten – sechs Jahren etwa. Ich hing herum, hinderte euch am Arbeiten und tauchte ständig in euren Wohnungen auf, als hätte ich den göttlichen Auftrag erhalten, euch zu zivilisieren. Das war eine Zeitlang sehr schön, aber dann bekam ich vom Herumhocken genug. Also fing ich an, mich nach einem Schiff umzusehen – wenn ihr mich fragt, die härteste Arbeit auf Erden. Aber die Schiffe sahen mich noch nicht mal an. Und ich wurde dieses Spiels auch müde.«

»Als kleiner Junge hatte ich eine Leidenschaft für Landkarten. Ich konnte stundenlang auf Südamerika oder Afrika oder Australien schauen und mich in all den Herrlichkeiten meiner Forschungsreisen verlieren. Damals gab es noch viele weiße Flecken auf der Erde, und wenn ich auf der Karte einen sah, der besonders einladend aussah (aber das tun sie eigentlich alle), legte ich meinen Finger darauf und sagte: Wenn ich groß bin, geh ich dort hin. Der Nordpol war einer dieser Orte, ich erinnere mich. Nun, ich bin noch nicht dort gewesen, und ich werde es auch nicht mehr versuchen. Der Glanz ist weg. Andere Orte waren am Äquator verstreut, und auf jedem beliebigen Breitengrad auf den beiden Erdhälften. Ein paar von ihnen habe ich aufgesucht, und... na, darüber wollen wir nicht sprechen. Aber da gab es immer noch einen – den größten, den weißesten sozusagen –, der es mir besonders angetan hatte.«

»In Tat und Wahrheit war er längst kein weißer Fleck mehr. Er war seit meinen Kindertagen mit Flüssen und Seen und Namen angefüllt worden. Er war nun kein leerer Raum für köstliche Geheimnisse mehr – ein lichtes Stück Land, über dem ein Junge von Ruhm und Ehre träumen konnte. Er war ein Ort der Finsternis geworden. Aber in ihm gab es vor allem einen Fluß, einen mächtigen, gewaltigen Fluß, den man nun auf der Karte sehen konnte und der einer riesigen, eingerollt liegenden Schlange glich, deren Kopf im Meer lag, während ihr ruhender Körper sich über ein weites Land ringelte; und der Schwanz lag irgendwo im Landesinnern verloren. Und als ich durch das Glas eines Schaufensters auf die Karte schaute, faszinierte sie mich so, wie eine Schlange einen Vogel verhext – einen dummen kleinen Vogel. Dann fiel mir ein, daß es einen großen Konzern gab, eine Gesellschaft, die auf jenem Fluß Handel trieb. Mein lieber Mann! dachte ich, sie können doch keinen Handel treiben, ohne so etwas Ähnliches wie Schiffe auf dem Süßwasser dort zu verwenden – Dampfschiffe! Warum sollte ich nicht versuchen, das Kommando von so einem zu kriegen? Ich ging weiter, durch die Fleet Street, aber ich konnte den Gedanken nicht loswerden. Die Schlange hatte mich verhext.«

»Versteht ihr, sie war ein kontinentaler Konzern, jene Handelsgesellschaft, aber ich habe viele Verwandte drüben auf dem Kontinent, weils dort billig und gar nicht so grauslich ist, wies aussieht, sagen sie wenigstens.«

»Zu meiner Schande muß ich gestehen, daß ich begann, ihnen lästig zu fallen. Allein das schon war etwas Neues für mich. Ich war es nicht gewohnt, auf diese Weise etwas zu erreichen, nicht wahr. Ich ging immer meine eigenen Wege und auf meinen eigenen Beinen, wenn ich wo hin wollte. Ich war auf so was nicht gefaßt gewesen; aber – seht ihr – ich hatte irgendwie das Gefühl, daß ich unter allen Umständen dorthin mußte. Also rückte ich ihnen auf die Pelle. Die Männer sagten ›Mein guter Junge‹ und taten nichts. Also – glaubt es oder glaubt es nicht – versuchte ich es mit den Frauen. Ich, Charlie Marlow, brachte die Frauen auf Trab – um einen Job zu kriegen. Mein Gott! Aber, was wollt ihr, ich war von dem Gedanken besessen. Ich hatte eine Tante, eine liebe, enthusiastische Dame. Sie schrieb: ›Es wird herrlich sein. Ich bin bereit, alles für dich zu tun, alles. Es ist eine großartige Idee. Ich kenne die Frau einer sehr hochgestellten Persönlichkeit in der Verwaltung, und zudem einen Mann, der den größten Einfluß auf...‹, usw. usw. Sie war wild entschlossen, alle Hebel in Bewegung zu setzen, daß ich ein festangestellter Süßwasserkapitän auf einem Flußdampfer wurde, wenn mir nun mal so viel daran lag.«

»Ich kriegte die Stelle – natürlich; und ich kriegte sie sehr schnell. Es stellte sich heraus, daß die Gesellschaft die Nachricht erhalten hatte, einer ihrer Kapitäne sei in einer Auseinandersetzung mit den Eingeborenen umgebracht worden. Das war meine Chance, und ich war nun noch viel schärfer darauf, gleich loszufahren. Erst viele Monate später, als ich versuchte, das zu bergen, was von der Leiche übriggeblieben war, hörte ich, daß der Streit mit einem Mißverständnis wegen ein paar Hühnern begonnen hatte. Ja, wegen zwei schwarzen Hühnern. Fresleven – der Mann, ein Däne, hieß so – hatte sich bei dem Geschäft irgendwie betrogen gefühlt und war an Land gegangen und hatte das Dorfoberhaupt mit einem Stock verprügelt. Oh, darüber wunderte ich mich nicht im geringsten, und auch nicht darüber, daß man mir im gleichen Atemzug versicherte, Fresleven sei der netteste, ruhigste Mensch gewesen, den unsre Erde je beherbergt habe. Gewiß war er das gewesen; aber er hatte eben auch schon ein paar Jahre lang der guten Sache dort unten gedient und fühlte vermutlich das dringende Bedürfnis, endlich irgend etwas für seine Selbstachtung zu tun. Deshalb prügelte er gnadenlos auf den alten Neger ein, während ihm eine große Menge wie vom Donner angerührt zusah, bis ein Mann – man sagte mir, der Sohn des Häuptlings –, der wegen des Geschreis des alten Kerls völlig außer sich war, probeweise ein bißchen mit seinem Speer auf den weißen Mann einstach – und natürlich verschwand der widerstandslos zwischen seinen Schulterblättern. Danach setzte sich die ganze Bevölkerung in die Wälder ab, weil sie Unheil aller Art auf sich zukommen sah, während sich umgekehrt das Dampfschiff, das Fresleven befehligt hatte, in ebenso wilder Panik davonmachte, unter dem Kommando des Maschinisten, glaube ich. Danach schien sich niemand groß um Freslevens sterbliche Überreste zu kümmern, bis ich dort unten auftauchte und in seine Fußstapfen trat. Ich konnte die Sache nicht einfach auf sich beruhen lassen; aber als ich endlich die Gelegenheit hatte, meinen Vorgänger kennenzulernen, wuchs das Gras so hoch aus seinen Rippen, daß es seine Knochen verbarg. Sie waren alle noch am alten Ort. Das überirdische Wesen war nach seinem Sturz nicht angerührt worden. Und das Dorf war verlassen, die Hütten gähnten mich schwarz an, verrottet, alle schief zwischen umgestürzten Zäunen. Das Unheil hatte es heimgesucht, kein Zweifel. Die Bewohner waren verschwunden. Irrer Schrecken hatte sie, Männer, Frauen und Kinder, im Busch zerstreut, und sie waren nie zurückgekehrt. Was aus den Hühnern geworden ist, weiß ich auch nicht. Ich nehme an, der Fortschritt hat sie dennoch erwischt. Jedenfalls kriegte ich durch diese ruhmreiche Geschichte meine Stelle, bevor ich richtig damit angefangen hatte, mir Hoffnungen auf sie zu machen.«

»Ich surrte wie blöd herum, um mich reisefertig zu machen, und weniger als achtundvierzig Stunden später überquerte ich den Kanal, um mich meinen Arbeitgebern vorzustellen und den Vertrag zu unterschreiben. In sehr wenigen Stunden kam ich in eine Stadt, die mich immer an eine frisch geweißelte Totengruft denken läßt. Ein Vorurteil, zweifellos. Ich fand die Büros der Gesellschaft ohne Mühe. Sie hatte das größte Haus der Stadt, und jeder, den ich traf, schwärmte von ihr. Sie war gerade dabei, ein Weltreich in Übersee aufzubauen und mit ihrem Handel Geld wie Heu zu verdienen.«

»Eine enge und einsame Stadt voller Schatten, hohe Häuser, zahllose Fenster mit Jalousien, Totenstille, zwischen Pflastersteinen sprießendes Gras, gewaltige Wageneinfahrten links und rechts, riesige, schwere Flügeltüren, die einen Spaltbreit offenstanden. Ich schlüpfte durch eine von ihnen hindurch, ging eine sauber geputzte und schmucklose Treppe hinauf, die so karg wie eine Wüste war, und öffnete die erste Tür, zu der ich kam. Zwei Frauen, die eine fett und die andre mager, saßen auf Stühlen, deren Sitzfläche aus geflochtenem Stroh war, und strickten mit schwarzer Wolle. Die Magere stand auf und kam auf mich zu – weiterhin mit niedergeschlagenen Augen strickend – und blieb erst stehen und sah zu mir hoch, als ich mir zu überlegen begann, ob ich ihr wohl wie einer Schlafwandlerin ausweichen müsse. Ihr Kleid war so unansehnlich wie ein Schirmfutteral, und sie machte wortlos rechtsumkehrt und führte mich in ein Wartezimmer. Ich sagte meinen Namen und sah mich um. Ein Tisch aus Tannenholz in der Mitte, gewöhnliche Stühle den Wänden entlang, und an einer Wand eine große, glänzende Karte, die in allen Farben des Regenbogens bemalt war. Es gab jede Menge Rot – ein stets angenehmer Anblick, weil man weiß, daß dort richtig gute Arbeit geleistet wird; verflucht viel Blau, ein bißchen Grün, und ein paar orange Flecken und, an der Ostküste, einen violetten Klecks, der mir zeigte, wo die fröhlichen Pioniere ihr fröhliches Flaschenbier tranken. Aber ich ging zu nichts von alledem. Ich ging ins Gelbe. Genau in die Mitte. Und der Fluß war dort – faszinierend – tödlich – wie eine Schlange. Uff! Eine Tür ging auf, ein weißhaariger Sekretärsschädel, der aber mitfühlend dreinschaute, wurde sichtbar, und ein knochiger Zeigefinger winkte mich ins Allerheiligste. Dieses war düster, und ein schwerer Schreibtisch machte sich in seiner Mitte breit. Hinter diesem Ungetüm kam ein bleiches plumpes Etwas in einem Gehrock hervor. Der große Meister persönlich. Er war etwa hundertsiebzig Zentimeter groß und hielt seine Pratzen über ebenso viele Millionen. Er gab mir die Hand, wenn ich mich recht erinnere, murmelte irgendwas, war mit meinem Französisch zufrieden. *Bon voyage.*«

»Nach etwa fünfundvierzig Sekunden war ich wieder im Wartezimmer, mit dem mitfühlenden Sekretär, der mich voller Trauer und Sympathie einige Dokumente zu unterschreiben hieß. Ich glaube, ich verpflichtete mich unter anderem, keine Geschäftsgeheimnisse auszuplaudern. Nun, das werde ich auch nicht tun.«

»Ich begann mich unwohl zu fühlen. Ihr wißt ja, ich bin solche Zeremonien nicht gewöhnt, und etwas Unheilschwangeres lag in der Luft. Es war, als sei ich nun an einer Verschwörung beteiligt – ich weiß nicht genau – an etwas nicht ganz Rechtem; und ich war froh, wegzukommen. Im Vorzimmer strickten die beiden Frauen fieberhaft mit ihrer schwarzen Wolle. Andere Leute kamen, und die junge Frau ging hin und her, um sie anzumelden. Die alte saß auf ihrem Stuhl. Ihre flachen Stoffpantoffeln standen auf einem Schemel, und eine Katze lag auf ihrem Schoß. Sie trug ein gestärktes weißes Häubchen auf dem Kopf, hatte eine Warze auf der Wange, und eine Brille mit einem silbrigen Gestell hing auf ihrer Nasenspitze. Sie sah mich über die Brillengläser hinweg an. Die flüchtige und gleichgültige Sanftmut dieses Blicks beunruhigte mich. Zwei junge Männer mit kindischen und heiteren Gesichtern wurden eben nach hinten gelotst, und sie sah ihnen mit demselben schnellen Blick unbeteiligter Weisheit nach. Sie schien alles über sie zu wissen, und über mich auch. Mir wurde schwindlig. Sie kam mir unheimlich und unheilbringend vor. Dort unten dachte ich oft an die beiden, wie sie das Tor der Finsternis bewachten, mit ihrer schwarzen Wolle so etwas wie warme Leichentücher strickten, und die eine meldete einen nach dem andern dem Unbekannten an, meldete und meldete, während die andere die heiteren und kindischen Gesichter mit teilnahmslosen alten Augen prüfte. *Ave!* Du greise Strickerin, mit deiner schwarzen Wolle! *Morituri te salutant.* Nicht viele von denen, die sie anblickte, sahen sie nochmals – nicht die Hälfte, bei weitem nicht.«

»Dann mußte ich noch zum Arzt. ›Eine bloße Formalität‹, versicherte mir der Sekretär und sah so aus, als nehme er an meinen Sorgen den größten Anteil. Also kam ein junger Mann, der seinen Hut bis über die linke Augenbraue heruntergezogen hatte, aus irgendeinem obern Stockwerk, ein Laufbursche vermutlich – es muß Laufburschen in dem Unternehmen gegeben haben, obwohl das Haus so still wie ein Haus in einer Totenstadt war –, und führte mich hinaus. Er war schäbig und lieblos gekleidet, hatte Tintenkleckse an seinen Jackenärmeln, und seine Krawatte blähte sich riesengroß unter einem Kinn, das wie die Spitze eines alten Schuhs aussah. Wir waren zu früh für den Arzt, und so schlug ich ihm vor, etwas trinken zu gehen, worauf er geradezu jovial wurde. Als wir hinter unsern Vermouths saßen, lobte er die Geschäfte der Gesellschaft in den höchsten Tönen, und irgendwann einmal verlieh ich beiläufig meiner Verwunderung darüber Ausdruck, daß er nicht auch dort hinaus gehe. ›Ich bin nicht so blöd, wie ich aussehe, sagte Plato zu seinen Schülern‹, sagte er, als zitiere er ein Sprichwort, leerte sein Glas mit großer Entschlossenheit, und wir erhoben uns.«

»Der alte Arzt fühlte meinen Puls und dachte dabei offenkundig an etwas anderes. ›Gut, gut für dort unten‹, murmelte er, und dann fragte er mich fast gierig, ob er meinen Schädel vermessen dürfe. Ziemlich erstaunt sagte ich ja, und er holte so was wie einen Kaliberzirkel hervor und maß mich vorne und hinten und überall und notierte alles sorgfältig. Er war ein unrasierter, kleiner Mann in einem schäbigen Rock, einer Art Bauernkutte, mit Pantoffeln an den Füßen, und ich hielt ihn für einen harmlosen Irren. ›Im Interesse der Wissenschaft bitte ich stets die, die weggehen, ihre *crania* vermessen zu dürfen‹, sagte er. ›Und wenn sie zurückkommen auch?‹ fragte ich. ›Oh, da sehe ich sie nie‹, bemerkte er. ›Und im übrigen finden die Veränderungen innen statt, nicht wahr.‹ Er lächelte, als habe er einen harmlosen Scherz gemacht. ›Sie gehen also dort hinunter. Toll. Und interessant.‹ Er sah mich forschend an und machte eine weitere Notiz. ›Irgendwelche Geistesstörungen in der Familie?‹ fragte er sachlich. Ich begann mich zu ärgern. ›Stellen Sie diese Frage auch im Interesse der Wissenschaft?‹ ›Es wäre‹, sagte er, ohne sich um meine Gereiztheit zu kümmern, ›für die Wissenschaft interessant, die mentalen Veränderungen von Individuen an Ort und Stelle zu beobachten, aber …‹ ›Sind Sie Psychiater?‹ unterbrach ich ihn. ›Jeder Arzt sollte es ein bißchen sein‹, antwortete dieses Original, ohne mit der Wimper zu zucken. ›Ich habe eine kleine Theorie, welche ihr *Messieurs,* die ihr nach dort unten geht, mir zu beweisen helfen müßt. Das ist mein Anteil am Gewinn, den mein Heimatland aus dem Besitz einer so großartigen Kolonie ziehen wird. Mein einziger Reichtum, den ich jemandem vererben werde. Verzeihen Sie meine Fragen, aber Sie sind der erste Engländer, den ich zur Beobachtung kriege ...‹ Ich beeilte mich, ihm zu versichern, daß ich nicht im geringsten typisch sei. ›Wär ichs‹, sagte ich, ›spräche ich nicht so mit Ihnen.‹ ›Was Sie sagen, ist ziemlich tief, und vermutlich falsch‹, sagte er und lachte. ›Meiden Sie Irritationen, mehr noch als die Sonne. Adieu. Wie sagt Ihr Engländer, hm? *Good-bye.* Genau! *Good-bye.* Adieu. In den Tropen muß man vor allem seine Ruhe bewahren.‹ ... Er hob warnend einen Zeigefinger. ›*Du calme, du calme. Adieu.*‹«

»Noch etwas blieb mir zu tun – meiner wunderbaren Tante Auf Wiedersehen zu sagen. Ich fand sie von ihrem Triumph überwältigt. Wir tranken Tee – den letzten für viele Tage – und plauderten lange und ruhig vor dem Kamin, in einem Zimmer, das genau so aussah, wie ihr euch den Salon einer Dame vorstellt. Im Verlauf dieser vertraulichen Unterredung wurde mir mehr und mehr deutlich, daß ich der Frau jenes hohen Tiers, und Gott weiß wem sonst noch, als ein ganz außerordentliches und hochbegabtes Wesen empfohlen worden war – als ein Glücksfall für die Gesellschaft – als jemand, den man nicht jeden Tag an die Angel kriegt. Gott im Himmel! Dabei war ich drauf und dran, das Kommando eines schrottreifen Flußdampfers mit einem rachitischen Signalhorn zu übernehmen! Ich schien aber auch einer jener Macher zu sein, die ihr Kapital arbeiten lassen – ihr wißt schon. Etwas wie ein Gesandter des Lichts, ein noch nicht ganz ausgereifter Apostel. Just in jenen Tagen konnte man solchen Quatsch überall hören, schriftlich und mündlich, und die wunderbare Dame, die mitten in all dem Humbug lebte, verlor den Boden unter den Füßen. Sie sprach davon, wie man ›diesen unwissenden Millionen ihre entsetzlichen Bräuche austreiben‹ könne, bis ich mich, ich schwörs, ziemlich unbehaglich fühlte. Ich nahm das Risiko auf mich, sie darauf hinzuweisen, daß die Gesellschaft Gewinne machen wollte.«

»›Du vergißt, lieber Charlie, daß ein Arbeiter genau das wert ist, was er auch kriegt‹, sagte sie bester Laune. Es ist schon seltsam, welch geringe Ahnung die Frauen von der Wahrheit haben. Sie leben in ihrer eignen Welt, und so was wie diese hat es nie gegeben, und das wird es auch nie. Sie ist zu schön, um wahr zu sein, und wenn die Frauen sie wirklich mal in die Tat umsetzen würden, ginge sie noch vor dem ersten Sonnenaufgang in tausend Stücke.

Irgendeine störende Tatsache, mit der wir Männer uns seit dem ersten Tag der Schöpfung abgefunden haben, käme dazwischen und bliese ihr das Lebenslicht aus.«

»Danach kriegte ich einen Kuß, wurde ermahnt, Flanell zu tragen, oft zu schreiben und so weiter – und dann ging ich. Auf der Straße – keine Ahnung, warum – überfiel mich das seltsame Gefühl, ein Betrüger zu sein. Es war merkwürdig, daß ich – daran gewöhnt, innerhalb von vierundzwanzig Stunden zu jedem beliebigen Teil der Welt aufzubrechen, ohne mir dabei mehr Gedanken zu machen als die meisten Menschen, wenn sie eine Straße überqueren – einen Augenblick lang, nein, nicht zögerte, aber doch angesichts dieser alltäglichen Sache irritiert innehielt. Ich kanns euch am besten erklären, wenn ich sage, daß ich mich eine oder zwei Sekunden lang so fühlte, als ginge ich nicht in die Mitte eines Kontinents, sondern bräche zur Mitte der Erde auf.«

»Ich fuhr auf einem französischen Dampfer, und der lief buchstäblich jeden Hafen an, den es dort draußen gibt, mit dem, soweit ich das sehen konnte, einzigen Ziel, Soldaten und Zollbeamte auszuladen. Ich betrachtete die Küste. Eine Küste zu betrachten, wie sie am Schiff vorbeigleitet, das ist, als ob man über ein Rätsel nachdächte. Da ist sie vor dir –

lächelnd, abweisend, einladend, großartig, trostlos, unscheinbar oder wild, und immer stumm, obwohl sie stets zu flüstern scheint. Komm her und find es heraus. Die hier war fast gesichtslos, als sei sie noch nicht ganz fertig, mit einem Ausdruck monotonen Grimms. Der Rand eines riesigen Urwalds, der nicht dunkelgrün, sondern fast schon schwarz und mit einer weißen Gischt gesäumt war, verlief schnurgerade, wie mit dem Lineal gezogen, weit weit weg einem blauen Meer entlang, dessen Geglitzer von kriechenden Dunstschwaden getrübt wurde. Die Sonne brannte heftig, das Land schien im Dampf zu glänzen und zu tropfen. Da und dort wurden grau-weiße Flecke sichtbar, die hinter der weißen Brandung eng aneinandergedrängte Muster bildeten, und vielleicht flatterte eine weiße Flagge über ihnen. Ein paar Jahrhunderte alte Siedlungen, die dennoch nicht größer als Stecknadelköpfe vor den unberührten Weiten des Hintergrunds waren. Wir stampften vorwärts, hielten an, brachten Soldaten an Land; fuhren weiter, brachten Zollbeamte an Land, die in etwas Steuern eintreiben sollten, was wie eine gottverlassene Wildnis aussah, in der ein Blechschuppen und eine Fahnenstange standen; landeten noch mehr Soldaten – vermutlich mußten sie auf die Zollbeamten aufpassen. Manche, hörte ich, ertranken in der Brandung; aber ob sie ertranken oder nicht, schien niemanden groß zu kümmern. Sie wurden einfach rausgeschmissen, und wir fuhren weiter. Tag für Tag sah die Küste gleich aus, als hätten wir uns nicht von der Stelle gerührt; aber wir kamen an mehreren Ortschaften vorbei – Handelsstationen –, die Gran' Bassam oder Little Popo hießen; Namen, die zu einer miesen Farce zu gehören schienen, die vor einem finsteren Bühnenhintergrund gespielt wurde. Mein müßiges Leben als Passagier, meine Einsamkeit unter all diesen Männern, mit denen ich nichts gemein hatte, das ölige und träge Meer, die gleichförmig nüchterne Küste schienen mich von der Wahrheit der Dinge fernzuhalten, verheddert in den Fallstricken einer trauervollen und sinnlosen Verblendung. Die Stimme der Brandung war zuweilen ein echtes Vergnügen, wie die eines Bruders. Sie war etwas Natürliches, was einen Grund hatte, einen Sinn. Zuweilen vermittelte uns ein Boot, das von der Küste her kam, einen kurzen Kontakt mit der Wirklichkeit. Es wurde von schwarzen Kerlen gerudert. Von weitem schon sahen wir das Weiß ihrer Augäpfel glühen. Sie brüllten, sangen; ihre Körper waren schweißüberströmt, sie hatten Gesichter wie groteske Masken – diese Kerle; aber sie hatten Knochen im Leib, Muskeln, eine wilde Vitalität, eine ungeheure Energie in ihren Bewegungen, die so natürlich und wahr wie die Brandung an ihrer Küste waren. Sie mußten sich nicht dafür rechtfertigen, daß sie da waren. Es war eine wahre Freude, sie anzuschauen. Eine Zeitlang hatte ich dann das Gefühl, immer noch einer Welt der ehrlichen Tatsachen anzugehören; aber es hielt nicht lange an. Irgend etwas passierte dann stets, was es verscheuchte. Einmal, ich erinnere mich, begegneten wir einem Kriegsschiff, das vor der Küste vor Anker lag. Nicht einmal ein Blechschuppen war dort zu erkennen, und es feuerte in die Bäume. Offenbar führten die Franzosen einen ihrer Kriege in der Gegend. Die Flagge hing schlaff wie ein Lappen herunter; die Mündungen der langen Sechs-Zoll-Geschütze ragten überall über den niedern Schiffsrumpf hinaus; das schleimige, schlammige Küstenwasser schaukelte müde das Schiff und brachte seine dünnen Masten zum Schwanken. Dort lag es in der leeren Unendlichkeit der Erde, des Himmels und des Wassers, unverständlich, und schoß auf einen Kontinent. Pumm! machte hie und da eins der Sechs-Zoll-Geschütze; ein bißchen Rauch löste sich auf, ein winziges Projektil pfiff leise – und nichts geschah. Nichts konnte geschehen. Über dem Vorgang lag ein Hauch Wahnsinn, und was man sah, hatte eine klägliche Komik; die auch von jemandem bei uns an Bord nicht zerstreut werden konnte, der mir ernsthaft versicherte, daß außer Sichtweite irgendwo ein Lager mit Eingeborenen – er nannte sie Feinde! – verborgen war.«

»Wir übergaben die Post (ich hörte, daß auf diesem einsamen Schiff täglich drei Männer am Fieber starben) und fuhren weiter. Wir legten an ein paar weiteren Orten mit Namen wie Witzen an, wo nach wie vor der fröhliche Toten- und Handelstanz in einer stillen und irdischen Atmosphäre weitergeht, wie in einer überheizten Katakombe; fuhren und fuhren der gestaltlosen Küste entlang, die von einer gefährlichen Brandung gesäumt wurde, als habe die Natur selber versucht, Eindringlinge von ihr fernzuhalten; fuhren in Flüsse hinein und wieder heraus, Todesströme mitten im Leben, deren Ufer zu Morast verrotteten, deren Wasser zu dickem Schlamm geworden waren und verkrüppelte Mangrovenbäume überschwemmten, die sich uns in einer endgültigen, hilflosen Verzweiflung entgegenzuwinden schienen. Nirgendwo blieben wir lange genug, um einen genauen Eindruck zu bekommen, aber ein allgemeines Gefühl eines unklaren und niederdrückenden Staunens gewann immer mehr Macht über mich. Es war wie eine mühselige Pilgerfahrt von einem Hinweis auf kommende Albträume zum andern.«

»Nach mehr als dreißig Tagen erst erblickte ich

die Mündung des großen Flusses. Wir ankerten draußen vor dem Regierungssitz. Aber meine Arbeit sollte erst etwa dreihundert Kilometer flußaufwärts beginnen. So brach ich so schnell wie möglich zu einem Ort auf, der fünfzig Kilometer weiter oben lag.«

»Ich fuhr auf einem kleinen, seetüchtigen Dampfer. Sein Kapitän war ein Schwede, und da er wußte, daß ich ein Seemann war, lud er mich auf die Brücke ein. Er war ein junger Mann, dürr, hellhäutig und düster, mit gelichteten Haaren und einem schlurfenden Gang. Als wir den jämmerlichen kleinen Landungssteg verließen, nickte er verächtlich zur Küste hinüber. ›Dort gelebt?‹ sagte er. Ich sagte: ›Ja.‹ ›Saubere Bande, diese Regierungsburschen, nicht wahr?‹ fuhr er fort, in einem Englisch, das sehr präzise und sehr bitter war. ›Seltsam, was manche Leute für ein paar *francs* im Monat alles tun. Ich frage mich, was aus so jemandem wird, wenn er ins Landesinnere kommt.‹ Ich sagte ihm, ich würde das wohl bald herausfinden. ›So-o-o!‹ rief er. Er schlurfte zum andern Ende der Brücke und sah aufmerksam nach vorn. ›Seien Sie nicht allzu sicher‹, sagte er dann. ›Kürzlich nahm ich einen Mann mit, der sich unterwegs aufhängte. Er war auch Schwede.‹ ›Er hängte sich auf! Warum, um Gottes willen?‹ rief ich. Er sah weiterhin wachsam nach vorn. ›Wer kann das sagen? Zu viel Sonne, oder vielleicht das Land.‹«

»Endlich gelangten wir in eine gerade Flußstrecke. Eine felsige Klippe tauchte auf, Wälle aus Erde, die der Küste entlang aufgeschichtet standen, Häuser auf einem Hügel, andere mit Blechdächern in einem Durcheinander voller Erdlöcher, oder an einem Steilhang hängend. Das unaufhörliche Getöse von weiter oben gelegenen Stromschnellen hing über dieser Szene eines bewohnten Trümmerhaufens. Viele Menschen, die meisten schwarz und nackt, rannten wie Ameisen herum. Eine Mole ragte in den Fluß hinaus. Von Zeit zu Zeit tauchte eine blindmachende Sonne all das in ein jähes grelles Licht. ›Dort sind die Gebäude Ihrer Firma‹, sagte der Schwede und deutete auf drei Holzbaracken auf dem felsigen Abhang. ›Ich lasse Ihnen Ihre Sachen raufbringen. Vier Kisten, sagten Sie? Aha. Machen Sies gut.‹«

»Ich stolperte über einen Dampfkessel, der im Gras lag, und fand dann einen Weg, der den Hügel hinaufging. Er führte um die Uferfelsen und auch um einen zu klein geratenen Eisenbahnwagen herum, der auf dem Rücken lag und seine Räder in die Luft streckte. Eins fehlte. Das Ding sah so tot wie der Kadaver eines Tiers aus. Ich stieß auf andere verrottende Maschinenteile, einen Stapel rostiger

Schienen. Links warfen ein paar Bäume ein bißchen Schatten, in dem dunkle Gegenstände sich schwach zu bewegen schienen. Ich blinzelte, der Weg war steil. Ein Horn tutete rechts, und ich sah, wie die Schwarzen rannten. Eine schwere und dumpfe Detonation erschütterte den Boden, Rauch kam aus der Klippe, und das war alles. Der Fels sah genau gleich wie zuvor aus. Sie bauten eine Eisenbahn. Die Klippe war nicht im Weg; aber diese ziellose Sprengerei war die einzige Arbeit, die getan wurde.«

»Ein leises Klirren hinter mir veranlaßte mich, den Kopf zu drehen. Sechs schwarze Männer kamen im Gänsemarsch näher, den Weg hochkeuchend. Sie gingen aufrecht und langsam, balancierten kleine, mit Erde gefüllte Körbe auf ihren Köpfen, und das Geklirr hatte denselben Takt wie ihre Schritte. Schwarze Lappen waren um ihre Lenden gebunden, und die zusammengeknüpften Zipfel wackelten wie Schwänze hinter ihnen her. Ich konnte jede Rippe sehen, die Gelenke ihrer Knochen waren wie Knoten in einem Seil; jeder hatte ein Band aus Eisen um seinen Hals, und alle waren durch eine Kette miteinander verbunden, die rhythmisch klirrend zwischen ihnen schwang. Ein neuer Knall von der Klippe her ließ mich plötzlich an jenes Kriegsschiff denken, das ich auf einen Kontinent hatte schießen sehen. Es war dieselbe unheilschwangere Stimme; aber diese Männer konnte man, auch wenn man die Einbildungskraft noch so sehr strapazierte, nicht Feinde nennen. Sie wurden Kriminelle geheißen, und das geschmähte Gesetz war, so wie die explodierenden Granaten, vom Meer her über sie hereingebrochen, ein unlösbares Rätsel. Ihre mageren Brustkörbe keuchten gemeinsam, ihre heftig geblähten Nasenflügel bebten, ihre Augen starrten den Hügel hinauf, als seien sie aus Stein. Sie gingen keine Handbreit entfernt an mir vorbei, ohne mich anzusehen, mit jener vollkommenen, totenähnlichen Gleichgültigkeit unglücklicher Wilder. Hinter diesem noch unfertigen Menschenmaterial schlurfte einer der Zivilisierten, das Produkt der neuen Kräfte, die da am Werk waren, ein Gewehr in der Hand. Er trug eine Uniformjacke, der ein Knopf fehlte, und schulterte, als er einen Weißen auf dem Weg sah, mit großem Eifer seine Waffe. Das war eine bloße Vorsichtsmaßnahme, weil die Weißen aus einiger Entfernung alle so gleich aussahen, daß er nicht drauskam, wer ich war. Er faßte sich aber schnell wieder und schien mich, mit einem breiten, weißen, spitzbübischen Grinsen und einem Seitenblick auf seine Schutzbefohlenen, zum Partner seines begeisterten Urvertrauens machen zu wollen. Schließlich war ich ja auch ein Teil der großen Sache dieser hohen und gerechten Vorgänge hier.«

»Statt aufwärts zu gehen, bog ich zur Seite und stieg nach links hinunter. Ich wollte, daß dieser Ketten-Trupp außer Sichtweite war, wenn ich den Hügel hochkletterte. Ihr wißt, daß ich nicht über die Maßen zartfühlend bin; ich habe dreinschlagen müssen, und Schläge abwehren. Ich habe mich verteidigen und zuweilen auch angreifen müssen – was nur eine andre Art des Widerstands ist –, ohne mir über die Folgen allzusehr den Kopf zu zerbrechen, wies halt zu der Art Leben paßte, in das ich hineingerutscht war. Ich habe den Teufel der Gewalt und den Teufel der Gier und den Teufel des heißen Verlangens kennengelernt; aber, weiß der Himmel!, das waren kraftvolle, tüchtige, rotäugige Teufel, die Menschen beherrschten und antrieben – Menschen, sage ich. Aber als ich am Abhang dieses Hügels stand, begann ich zu ahnen, daß ich im blindmachenden Sonnenlicht dieses Lands die Bekanntschaft eines schlaffen, eingebildeten, schwachsichtigen Teufels machen würde, eines räuberischen und mitleidslosen Wahnsinns. Wie heimtückisch er dann auch noch sein konnte, erfuhr ich erst mehrere Monate später und tausendfünfhundert Kilometer weiter weg. Einen Augenblick lang stand ich entsetzt da, als hätte mich eine Warnung erreicht. Schließlich ging ich den Hügel schräg hinunter, auf die Bäume zu, die ich gesehen hatte.«

»Ich ging um ein großes Loch herum, das jemand kunstvoll in den Abhang gegraben hatte und dessen Zweck zu erraten mir unmöglich schien. Es war jedenfalls weder ein Steinbruch noch eine Sandgrube. Es war einfach ein Loch. Es hing möglicherweise mit einer philantropischen Neigung zusammen, den Kriminellen etwas zu tun zu geben. Ich weiß es nicht. Dann stürzte ich beinahe in eine sehr enge Schlucht, die kaum mehr als eine Spalte im Hügel war. Ich entdeckte, daß viele importierte, für die Siedlung bestimmte Drainagerohre dort hineingeworfen worden waren. Kein einziges war noch ganz. Es war mutwillige Zerstörung. Endlich gelangte ich unter die Bäume. Eigentlich hatte ich nur für einen Augenblick im Schatten schlendern wollen; aber kaum war ich drin, als ich mir vorkam, als hätte ich den düsteren Bereich irgendeiner Hölle betreten. Die Stromschnellen waren nahe, und ein ununterbrochener, eintöniger, ungestümer, donnernder Lärm füllte die traurige Ruhe des Wäldchens, wo sich kein Lufthauch regte, kein Blatt bewegte, mit einem geheimnisvollen Klang – als sei der rasendschnelle Flug der ins All geworfenen Erde plötzlich hörbar geworden.«

»Schwarze Gestalten hockten, lagen, saßen zwischen den Bäumen, lehnten sich gegen die Stämme, krümmten sich am Boden, von dem trüben Licht kenntlich *und* unsichtbar gemacht, in allen Stellungen des Schmerzes, der Verlassenheit und der Verzweiflung. Eine weitere Mine ging auf der Klippe hoch, und der Boden unter meinen Füßen bebte ein bißchen. Die Arbeit ging weiter. Die Arbeit! Und das hier war der Ort, an den sich einige der Helfer zurückgezogen hatten, um zu sterben.«

»Sie starben langsam – es war sehr klar. Sie waren keine Feinde, sie waren keine Kriminelle, sie waren jetzt nichts Irdisches mehr – nur noch schwarze, kranke, verhungernde Schatten, die wirr durcheinander in dem grünen Düster lagen. Sie waren mit völlig legalen Zeitverträgen aus den vielen Schlupfwinkeln der Küste hergebracht worden, und verloren in einer schrecklichen Umgebung, mit unvertrautem Essen gefüttert, wurden sie krank, uneffizient und kriegten endlich die Erlaubnis, wegzukriechen und sich irgendwo hinzulegen. Diese dahinsterbenden Schatten waren frei wie die Luft – und beinah so dünn. Ich erkannte nun allmählich das Glänzen der Augen unter den Bäumen. Dann, als ich nach unten blickte, sah ich ein Gesicht neben meiner Hand. Die schwarzen Knochen lagen längelang da, eine Schulter lehnte gegen den Baum, und langsam hoben sich die Augenlider, und die in tiefen Höhlen liegenden Augen sahen zu mir hoch, riesengroß und leer, eine Art blindes, weißes Flakkern aus den Tiefen der Augäpfel, das langsam wieder erlosch. Der Mann schien jung zu sein – ein Knabe fast noch –, aber ihr wißt ja, bei denen weiß man nie so recht. Mir fiel nichts anderes ein, als ihm einen meiner guten schwedischen Schiffszwiebacks zu geben, die ich in der Tasche hatte. Die Finger schlossen sich langsam um ihn und blieben dann so – keine weitere Bewegung und kein Blick mehr. Er hatte sich ein Stück weiße Wolle um den Nacken gebunden – warum? Wo hatte er es her? War es ein Erkennungszeichen – ein Schmuck – ein Amulett – ein Versöhnungsangebot? War überhaupt irgendeine Vorstellung damit verbunden? Es sah verwirrend an seinem schwarzen Hals aus, dieser kleine weiße Faden von jenseits der Meere.«

»Neben demselben Baum saßen noch zwei so spitzwinklige Haufen, mit hochgestellten Beinen. Der eine stützte das Kinn auf seinen Knien auf und starrte auf eine unerträgliche und schreckliche Weise ins Leere; der andere, ein Gespenst wie er, hatte seine Stirn aufgelegt, als habe ihn eine große Müdigkeit übermannt; und überall lagen welche, in allen erdenklichen Haltungen schmerzverkrümmter Erschöpfung, wie auf jenen Bildern, die ein Massaker oder die Pest zeigen. Während ich schrekkensstarr dastand, rappelte sich eine dieser Kreaturen auf und kroch, um zu trinken, auf allen vieren zum Fluß. Er schlürfte aus der hohlen Hand, setzte sich dann mit gekreuzten Beinen ins Sonnenlicht, und nach einiger Zeit fiel sein Wollkopf auf seine Brust.«

»Ich hatte keine Lust mehr, im Schatten zu wandeln, und machte mich eilends auf den Weg zur Station. Als ich nahe bei den Gebäuden war, begegnete ich einem Weißen, der dermaßen unerwartet elegant herausgeputzt war, daß ich ihn im ersten Moment für so etwas wie eine Vision hielt. Ich sah einen hohen, steifen Kragen, weiße Manschetten, ein leichtes Alpaka-Jackett, schneeweiße Hosen, eine helle Krawatte, und glänzendpolierte Schuhe. Kein Hut. Die Haare mit einem Scheitel, gebürstet, ölig, unter einem grünen Sonnenschirm, den er in einer großen, weißen Hand hielt. Er war atemberaubend und trug einen Federhalter hinter einem Ohr.«

»Ich schüttelte diesem Wunder die Hand und erfuhr, daß er der Chefbuchhalter der Gesellschaft war und daß die ganze Buchhaltung in dieser Station erledigt wurde. Er sei für einen Augenblick herausgekommen, sagte er, ›um ein bißchen frische Luft zu schnappen‹. Der Begriff klang herrlich daneben, mit seiner Andeutung eines seßhaften Schreibtischlebens. Ich würde den Mann überhaupt nicht erwähnen, hätte ich nicht von ihm zum ersten Mal den Namen jenes Mannes gehört, der so untrennbar mit den Erinnerungen an jene Zeit verbunden ist. Außerdem beeindruckte mich der Kerl. Ja, sein Kragen beeindruckte mich, seine gewaltigen Manschetten, seine gebürsteten Haare. Natürlich sah er wie die Schaufensterpuppe eines Friseurs aus; aber inmitten der allgemeinen Verwahrlosung des Lands achtete er auf sein Aussehen. Das nenn ich Rückgrat. Sein steifer Kragen und seine tadellose Hemdenbrust waren ein Werk seines Charakters. Er war nun schon seit fast drei Jahren hier draußen; und später mußte ich ihn einfach fragen, wie er es schaffe, solch heikles Leinenzeug zu tragen. Er errötete ein kleines bißchen und sagte bescheiden: ›Ich habe eine der eingeborenen Frauen der Station angelernt. Es war schwierig. Sie haßte die Arbeit.‹ So hatte dieser Mann wahrhaftig etwas vollbracht. Und er liebte seine Bücher, die bis hinters hinterste Komma korrekt waren.«

»Alles andere in der Station war heillos durcheinander – die Köpfe, die Sachen, die Häuser. Jede Menge staubiger, plattfüßiger Neger kamen und gingen; ein Strom aus Industriegütern, Baumwolltüchern miesester Qualität, Glaskugeln und Messingdraht floß in die Tiefen der Finsternis, und zurück kam ein kostbares Rinnsal aus Elfenbein.«

»Ich mußte zehn Tage lang in der Station warten – eine Ewigkeit. Ich wohnte in einer Hütte in der Siedlung, aber um dem Chaos zu entkommen, ging ich hie und da ins Büro des Buchhalters. Es war aus horizontalen Brettern gebaut und so lausig zusammengeschustert, daß er, wenn er sich über sein hohes Pult beugte, von Kopf bis Fuß mit schmalen Sonnenlichtstreifen gemustert war. Man mußte die großen Fensterläden gar nicht erst öffnen, um etwas zu sehen. Es war dort auch heiß; riesige Fliegen surrten wie Teufel herum und stachen nicht, sondern durchbohrten einen. Normalerweise saß ich auf dem Boden, während er schrieb, tadellos gekleidet (und sogar ein bißchen parfümiert), auf einem hohen Bürohocker sitzend. Zuweilen stand er auf, um sich Bewegung zu verschaffen. Als einmal ein Rollbett mit einem Kranken (irgendeinem dienstunfähigen Agenten aus dem Innern des Lands) zu ihm hereingeschoben wurde, zeigte er höflichen Verdruß. ›Das Stöhnen dieser kranken Person‹, sagte er, ›stört mich in meiner Konzentration. Und ohne sie ist es außerordentlich schwierig, Buchungsfehler zu vermeiden, in diesem Klima.‹«

»Eines Tages bemerkte er, ohne den Kopf zu heben: ›Im Innern werden Sie zweifellos Herrn Kurtz kennenlernen.‹ Ich fragte ihn, wer Herr Kurtz sei, und er sagte, er sei ein erstklassiger Agent; und als er die Enttäuschung sah, die diese Information in mir auslöste, fügte er langsam hinzu, seine Feder aufs Pult legend: ›Er ist eine sehr bemerkenswerte Person.‹ Weitere Fragen entlockten ihm, daß Herr Kurtz zur Zeit eine Handelsstation leitete, eine sehr wichtige, im eigentlichen Elfenbeinland, ›wirklich mittendrin. Er schickt uns so viel Elfenbein wie alle andern zusammen...‹ Er fing wieder an zu schreiben. Der Kranke war zu krank, um zu stöhnen. Die Fliegen surrten völlig friedlich.«

»Plötzlich hörte ich ein Stimmengewirr, das näher kam, und das Trampeln vieler Füße. Eine Karawane war eingetroffen. Seltsam rohe Laute wurden, wild durcheinander, auf der andern Seite der Bretter hörbar. Alle Träger sprachen gleichzeitig miteinander, und mitten in diesem Aufruhr war die weinerliche Stimme des Generalagenten zu hören, der nun schon zum zwanzigsten Mal an diesem Tag ›den ganzen Kram endgültig hinschmiß‹, mit Tränen in den Augen... Er stand langsam auf. ›Was für ein schrecklicher Lärm‹, sagte er. Er ging sachte quer durch den Raum, um nach dem Kranken zu sehen, kam zurück und sagte: ›Er hört nichts.‹ ›Was! Tot?‹ fragte ich erschrocken. ›Nein, noch nicht‹, antwortete er äußerst gelassen. Dann wies er mit einer Kopfbewegung auf den Tumult auf dem Platz draußen. ›Wenn man alle Eingänge korrekt abbuchen muß, kommt man soweit, daß man diese

Wilden haßt – daß man sie haßt bis auf den Tod.‹ Er stand einen Augenblick lang nachdenklich da. ›Wenn Sie Herrn Kurtz sehen‹, fuhr er fort, ›richten Sie ihm von mir aus, daß hier‹ – er schaute zum Pult hinüber – ›alles sehr befriedigend verläuft. Ich schreibe ihm nicht gern in diese Zentralstation – bei unsern Boten weiß man nie, wem der Brief schließlich in die Hände fällt.‹ Er starrte mich einen Augenblick lang aus seinen sanften, hervorstehenden Augen an. ›Oh, ja, der bringts noch weit, sehr weit‹, fing er wieder an. ›Der wird über kurz oder lang wer in der Geschäftsführung. Die oben – der Verwaltungsrat in Europa, Sie verstehen –, die wollen ihn haben.‹«

»Er machte sich wieder an seine Arbeit. Der Lärm draußen hatte aufgehört, und als ich hinausging, blieb ich bei der Tür stehen. In dem unaufhörlichen Gesurr der Fliegen lag der Agent, der nach Hause wollte, rotglühend und bewußtlos da; der andere, über seine Bücher gebeugt, buchte korrekte Einnahmen aus vollkommen korrekten Transaktionen ab; und fünfundzwanzig Meter unterhalb der Türschwelle konnte ich die bewegungslosen Baumwipfel des Todeshains sehen.«

»Am nächsten Tag verließ ich die Station endlich, mit einer Karawane aus sechzig Männern, für einen Dreihundert-Kilometer-Marsch.«

»Es hat keinen Sinn, euch allzuviel davon zu erzählen. Trampelpfade, überall Trampelpfade; ein in die Erde getrampeltes Netz aus Pfaden, das sich über ein leeres Land ausbreitete, durch hohes Gras, durch niedergebranntes Gras, durch Dickicht, in frostkalte Schluchten hinunter und hinauf, auf hitzeglühende Steinhügel hinauf und hinunter, und eine Einsamkeit, eine Einsamkeit, niemand, keine Hütte. Die Bevölkerung war vor langem schon abgehauen. Nun, wenn plötzlich viele viele geheimnisvolle Neger, bewaffnet mit furchterregenden Waffen aller Art, auf der Straße von Deal nach Gravesend dahergezogen kämen und alle dummen Bauern rechts und links einfingen, damit sie ihnen ihre schweren Lasten tragen, jede Wette, daß alle Höfe und Häuser weit herum sehr bald leer stünden. Nur waren hier auch die Gebäude verschwunden. Dennoch kam ich durch mehrere verlassene Dörfer. Die Ruinen von Grasmauern haben etwas pathetisch Kindliches. Tag für Tag das Stampfen und Schlurfen von sechzig nackten Fußpaaren hinter mir, jedes Paar unter einer Last von dreißig Kilo. Camp aufstellen, kochen, schlafen, Camp abbrechen, marschieren. Hie und da ein toter Träger, mit seinem Joch im hohen Gras neben dem Pfad liegend, mit einem leeren Wasserkürbis und seinem langen Stab. Eine große Stille um uns und über uns.

In einer ruhigen Nacht vielleicht das Dröhnen sehr weit entfernter Trommeln, leise werdend, laut, ein gewaltiges Dröhnen, ersterbend dann; ein unheimlicher, flehender, aufwühlender und wilder Klang – und vielleicht ebenso tief bedeutungsvoll wie der Klang der Kirchen in einem christlichen Land. Einmal ein Weißer in einer vorn offenen Uniform, der mit einer bewaffneten Eskorte aus hageren Sansibaris auf dem Pfad lagerte und sehr gastfreundlich und vergnügt war – um nicht zu sagen besoffen. Er kümmere sich um den Ausbau der Straße, erklärte er. Ich sah aber weder eine Straße noch einen Ausbau, außer man betrachtete die Leiche eines mittelalterlichen Negers, die ein Schußloch in der Stirn trug und über die ich fünf Kilometer weiter buchstäblich stolperte, als einen bleibenden Fortschritt. Ich hatte auch einen weißen Begleiter, keinen üblen Menschen, der aber ein bißchen zu dick war und die aufreizende Gewohnheit hatte, an allen steilen Hügeln in Ohnmacht zu fallen, Kilometer vom kleinsten bißchen Schatten und Wasser entfernt. Stinklangweilig, wißt ihr, die eigne Jacke wie ein Sonnendach über den Kopf eines Manns halten zu müssen, während der langsam wieder zu sich kommt. Ich konnte nicht anders, ich fragte ihn einmal, was in aller Welt er sich denn dabei gedacht habe, just hierher zu kommen. ›Ich will Geld verdienen, ist doch klar. Was dachten Sie?‹ sagte er spöttisch. Dann kriegte er Fieber und mußte in einer Hängematte getragen werden, die unter einer Stange hing. Da er an die hundert Kilo wog, hatte ich endlose Schwierigkeiten mit den Trägern. Sie wurden störrisch, rannten weg, schlichen sich mitsamt ihren Lasten nachts davon – fast so was wie eine Meuterei. So hielt ich eines Abends eine Rede, auf englisch, mit Gebärden, von denen keine den sechzig Augenpaaren vor mir entging, und am nächsten Morgen schickte ich die Hängematte als erste los, uns voraus. Eine Stunde später fand ich die ganze Fuhre gestrandet in einem Gebüsch – Mann, Hängematte, Schluchzer, Wolldecken, das blanke Entsetzen. Die schwere Stange hatte seine arme Nase gehäutet. Er drang heftig in mich, jemanden umzubringen, aber weit und breit war kein Träger mehr zu sehen. Ich dachte an den alten Arzt – ›Es wäre für die Wissenschaft interessant, die mentalen Veränderungen von Individuen an Ort und Stelle zu beobachten‹. Ich spürte, daß ich wissenschaftlich interessant zu werden begann. Na ja, das alles führt uns nicht weiter. Am fünfzehnten Tag kam der große Fluß wieder in Sicht, und ich hinkte in die Zentralstation. Sie lag an einer Bucht und war von verkrüppelten Büschen und Wald umgeben, mit einem hübschen Streifen stinkenden Schlamms auf der einen und einem baufälligen Zaun aus Schilfrohren auf den andern drei Seiten. Eine niemals reparierte Lücke im Zaun war der einzige Zugang, den es gab, und ein Blick auf den Ort genügte, um zu wissen, daß hier der schlaffe Teufel seine Show zeigte. Weiße Männer mit langen Stäben in den Händen tauchten langsam zwischen den Häusern auf, schlenderten näher, um einen Blick auf mich zu werfen, und verschwanden dann wieder irgendwo. Einer von ihnen, ein stämmiger, reizbarer Kerl mit einem schwarzen Schnurrbart, teilte mir, als ich ihm sagte, wer ich sei, mit vielen Wörtern und noch mehr Abschweifungen mit, daß mein Dampfschiff auf dem Grund des Flusses liege. Ich war wie vom Donner angerührt. Was, wie, warum? Oh, es sei ›in Ordnung‹. Der ›Direktor selbst‹ sei dabeigewesen. Alles völlig korrekt. ›Jedermann hat sich phantastisch benommen! Phantastisch!‹ – ›Sie müssen‹, sagte er aufgeregt, ›sofort zum Direktor gehen. Er wartet.‹«

»Ich sah die wirkliche Bedeutung dieses Schiffbruchs nicht sofort. Ich bilde mir ein, ich sehe sie jetzt, aber ich bin nicht sicher – nicht im geringsten. Gewiß war die ganze Sache zu idiotisch – wenn ich jetzt dran denke –, um ganz und gar natürlich zu sein. Andrerseits … Aber damals sah sie einfach wie ein verwirrendes Pech aus. Der Dampfer war gesunken. Sie waren vor zwei Tagen in jäher Eile den

Fluß hinaufgefahren, mit dem Direktor an Bord und unter dem Kommando irgendeines Freiwilligen, hatten nach knapp drei Stunden den Boden an den Steinen aufgerissen und waren nahe am Südufer gesunken. Ich fragte mich, was ich hier sollte, nun, da mein Schiff weg war. In Tat und Wahrheit jedoch hatte ich alle Hände voll zu tun, mein Kommando aus dem Fluß zu ziehen. Ich mußte mich gleich am nächsten Tag dahintermachen. Dies und die Reparaturarbeiten nahmen, als ich die Ersatzteile in die Station gebracht hatte, mehrere Monate in Anspruch.«

»Mein erstes Gespräch mit dem Direktor war seltsam. Er bot mir, nach meinem Dreißig-Kilometer-Marsch an jenem Morgen, keinen Stuhl an. Sein Aussehen, sein Gesicht, sein Verhalten, seine Stimme waren ganz gewöhnlich. Er war mittelgroß und normal gewachsen. Seine Augen, vom üblichen Blau, waren möglicherweise kälter als andere, und ganz sicher verstand er es, seinen Blick scharf und schwer wie eine Axt auf einen niederfallen zu lassen. Doch selbst dann schien seine übrige Person jede Absicht zu widerlegen. Sonst war da nur ein undefinierbarer, schwacher Ausdruck seiner Lippen, etwas Verstohlenes – ein Lächeln – nein, kein Lächeln – ich erinnere mich dran, kanns aber nicht erklären. Es war unbewußt, dieses Lächeln, obwohl es für einen kurzen Augenblick stärker wurde, wenn er etwas gesagt hatte. Es stellte sich am Ende seiner Äußerungen wie ein Siegel ein, das er den Wörtern aufdrückte, um den Sinn des allergewöhnlichsten Satzes unergründlich erscheinen zu lassen. Er war ein gewöhnlicher Geschäftsmann, seit seiner Jugend in dieser Gegend beschäftigt – nichts mehr. Man gehorchte ihm, obwohl er weder Liebe noch Angst einflößte, nicht einmal Respekt. Er flößte Unbehagen ein. Das wars! Unbehagen. Nicht eigentlich Mißtrauen – nur Unbehagen – nichts mehr. Ihr habt keine Ahnung, wie wirkungsvoll so eine … so … so eine Fähigkeit sein kann. Er hatte keine Begabung fürs Organisatorische, für Initiative, nicht mal für Ordnung. Das sah man zum Beispiel am bejammernswerten Zustand der Station. Er war weder gebildet noch intelligent. Seine Position war ihm in den Schoß gefallen – warum? Vielleicht weil er nie krank war … Er hatte drei dreijährige Dienstperioden dort unten durchgezogen … Denn eine triumphale Gesundheit ist bei dem dort üblichen Zusammenbrechen aller Kräfte eine Art Macht an sich. Wenn er im Urlaub nach Hause fuhr, ließ er die Sau raus – volle Pulle. Hochseematrose an Land – mit rein äußerlichen Unterschieden. Das konnte man gelegentlich seinen Gesprächen entnehmen. Er hatte nie einen eigenen Einfall, er konnte mit der Alltagsroutine zurechtkommen – das war alles. Und doch war er großartig. Er war durch die kleine Winzigkeit großartig, daß niemand hätte sagen können, was ihn zu alldem trieb. Er gab dieses Geheimnis nie preis. Vielleicht war gar nichts in ihm. Ein solcher Verdacht konnte einem einen Augenblick lang den Atem verschlagen – denn dort draußen gab es keine äußeren Hemmnisse. Einmal, als verschiedene Tropenkrankheiten ungefähr jeden ›Agenten‹ der Station auf den Rücken gelegt hatten, soll er gesagt haben: ›Männer, die hierher kommen, dürften keine Eingeweide haben.‹ Er besiegelte diese Äußerung mit seinem besonderen Lächeln, als sei dieses eine Tür, die sich in ein Dunkel hinein öffnete, das er in sich hütete. Man bildete sich ein, das eine oder andre gesehen zu haben – aber das Siegel war drauf. Als ihn beim Essen die ewigen Streitereien der Weißen über die Sitzordnung ärgerten, ließ er einen riesigen, runden Tisch schreinern, für den ein besonderes Haus gebaut werden mußte. Das war dann der Speisesaal der Station. Wo er saß, war oben – der Rest war nichts. Man spürte, daß das seine feste Überzeugung war. Er war weder höflich noch unhöflich. Er war ruhig. Er erlaubte seinem ›Boy‹, einem vollgefressenen jungen Neger von der Küste, die Weißen unter seinen Augen mit provozierender Unverschämtheit zu behandeln.«

»Sobald er mich sah, begann er zu sprechen. Ich sei sehr lange unterwegs gewesen. Er habe nicht warten können. Habe ohne mich aufbrechen müssen. Die Stationen flußaufwärts hätten Hilfe gebraucht. Es habe schon so viele Verzögerungen gegeben, daß er nicht wisse, wer tot und wer am Leben sei und wie sie zurechtkämen – und so weiter und so fort. Er hörte meinen Erklärungen nicht zu und wiederholte mehrere Male, während er mit einem Stück Siegellack herumspielte, daß die Lage ›sehr ernst‹ sei, ›sehr ernst‹. Es gebe Gerüchte, daß eine sehr wichtige Station in Gefahr sei, und ihr Chef, Herr Kurtz, krank. Er hoffe, das stimme nicht. Herr Kurtz sei ... Ich fühlte mich erschöpft und gereizt. Zum Henker mit Kurtz, dachte ich. Ich unterbrach ihn und sagte, ich hätte an der Küste von Herrn Kurtz gehört. ›Ah! Man spricht dort unten von ihm‹, murmelte er vor sich hin. Dann fing er wieder von vorn an und versicherte mir, Herr Kurtz sei sein bester Agent, ein außergewöhnlicher Mann, von der allergrößten Bedeutung für die Gesellschaft; so könne ich seine Sorge wohl verstehen. Er fühle sich, sagte er, ›sehr, sehr unwohl‹. In der Tat wetzte er ununterbrochen auf seinem Stuhl hin und her, rief: ›Ah, Herr Kurtz!‹, zerbrach das Siegellackstück und schien wegen des Unfalls völlig durcheinander zu sein. Als nächstes wollte er wissen, ›wie lange es wohl dauern werde, bis ...‹ Ich unterbrach ihn erneut. Ich war hungrig, versteht ihr, und stand immer noch, und so wurde ich langsam wütend. ›Woher soll ich das wissen?‹ sagte ich. ›Ich habe noch nicht mal das Wrack gesehen – ein paar Monate, zweifellos.‹ Das ganze Gerede kam mir so unnütz vor. ›Ein paar Monate‹, sagte er. ›Gut, sagen wir, drei Monate, bis wir losfahren können. Ja. Das könnte hinhauen.‹ Ich fegte aus seiner Hütte (er wohnte ganz allein in einer Lehmhütte mit einer Art Veranda) und murmelte in meinen Bart, was ich von ihm hielt. Er war ein geschwätziger Trottel. Das nahm ich später zurück, als ich verwundert merkte, wie außerordentlich genau er die für die ›Angelegenheit‹ notwendige Zeit geschätzt hatte.«

»Ich machte mich am nächsten Tag an die Arbeit, wandte, sozusagen, jener Station den Rücken zu. Nur so, so kam es mir vor, konnte ich mit den erlösenden Tatsachen des Lebens in Verbindung bleiben. Aber man muß sich trotzdem hie und da umdrehen; und dann sah ich diese Station, diese Männer, die ziellos im Sonnenschein der Siedlung herumstreunten. Ich fragte mich zuweilen, was das alles bedeuten mochte. Sie wanderten hierhin und dorthin, mit ihren absurden Stäben in den Händen, wie eine Schar ungläubiger Pilger, die verhext innerhalb eines baufälligen Zauns festsaßen. Das Wort

›Elfenbein‹ hing in der Luft, wurde geflüstert, geseufzt. Man hätte glauben können, sie beteten es an. Ein Geruch aus sackdummer Raubgier schien über alldem zu schweben, wie der Gestank einer Leiche. Bei allen Göttern! Ich habe nie sonst in meinem Leben so was Unwirkliches gesehen. Und ringsum kam mir die schweigende Wildnis, die diesen gerodeten Erdenfleck umgab, wie etwas Großes und Unbesiegbares vor, wie das Böse oder die Wahrheit, die geduldig warteten, bis sich dieser Eroberungsspuk wieder in Luft auflösen würde.«

»Was waren das für Monate! Na ja. Verschiedenes geschah. Eines Abends fing eine Grashütte voller Kaliko, bedruckten Stoffen, Glasperlen und weiß der Teufel was allem so plötzlich Feuer, daß man hätte meinen können, die Erde habe sich aufgetan, um ein rächendes Feuer all diesen Ramsch verschlingen zu lassen. Ich rauchte friedlich meine Pfeife neben meinem abgetakelten Dampfer und sah zu, wie sie mit den Armen fuchtelnd herumhüpften, als der stämmige, schnauzbärtige Mann mit einem Blecheimerchen in der Hand zum Ufer heruntergerannt kam, mir versicherte, alle benähmen sich ›großartig, einfach großartig‹, ungefähr einen Liter Wasser schöpfte und zurückrannte. Ich bemerkte, daß im Boden seines Eimers ein Loch war.«

»Ich schlenderte nach oben. Es eilte nicht. Versteht ihr, das Ding war wie eine Schachtel Streichhölzer in Flammen aufgegangen. Es war von Anfang an hoffnungslos gewesen. Die Flammen waren in die Höhe gelodert, hatten jedermann weggetrieben, alles hell erleuchtet – und waren in sich zusammengesunken. Die Hütte war bereits ein Aschenhaufen, der heftig glühte. Ein Neger wurde in meiner Nähe verprügelt. Es hieß, er sei irgendwie am Brand schuld; wie dem auch sei, er schrie jedenfalls schrecklich. Später sah ich ihn mehrere Tage lang in einer schattigen Ecke sitzen. Er sah sehr krank aus und versuchte, sich zu erholen; noch später stand er auf und ging – und die Wildnis nahm ihn ohne einen Laut wieder in sich auf. Als ich aus dem Dunkel auf die Glut zuschritt, stand ich plötzlich hinter zwei Männern, die miteinander sprachen. Ich hörte den Namen Kurtz, dann die Worte ›aus seinem unglückseligen Unfall Profit schlagen‹. Einer der Männer war der Direktor. Ich sagte ihm Guten Abend. ›Haben Sie schon mal so was gesehen – ja? Es ist unglaublich‹, sagte er und ging weg. Der andre Mann blieb. Er war ein erstklassiger Agent, jung, ein Gentleman, ein bißchen reserviert, mit einem gegabelten Bart und einer Hakennase. Er hielt sich von den andern Agenten fern, und diese ihrerseits sagten, er bespitzle sie im Auftrag des Direktors. Was mich betrifft, so hatte ich zuvor kaum je ein Wort mit ihm gewechselt. Wir kamen ins Gespräch und schlenderten nach und nach von den zischenden Trümmern weg. Dann lud er mich in sein Zimmer ein, das im Hauptgebäude der Station war. Er strich ein Streichholz an, und ich sah, daß dieser junge Aristokrat nicht nur über ein silberbeschlagenes Reisenécessaire, sondern auch über eine ganze Kerze für sich allein verfügte. Just zu dieser Zeit war der Direktor der einzige, dem Kerzen zustanden. Einheimische Matten bedeckten die Lehmwände; eine Sammlung Speere, Wurfspieße, Schilde, Messer hingen als Trophäen herum. Die Arbeit, die man diesem Burschen anvertraut hatte, war das Brennen von Ziegeln – so hatte man mir das gesagt; nur daß es nirgendwo in der Station auch nur ein Stückchen Ziegel gab, und dabei war er schon seit mehr als einem Jahr hier – und wartete. Es sah so aus, als könne er keine Ziegel ohne irgendwas brennen, ich weiß nicht, was – vielleicht Stroh. Jedenfalls gab es das dort nicht, und da man es ja wohl nicht aus Europa herschicken würde, schien mir nicht klar, worauf er wartete. Auf ein Schöpfungswunder vielleicht. Andrerseits warteten alle auf irgendwas – alle sechzehn oder zwanzig von diesen Pilgersmännern; und ich gebe euch mein Wort, das schien ihnen keine unangenehme Beschäftigung zu sein, so wie sie sie hinnahmen, obwohl die einzigen Erfahrungen, die sie machten, Krankheiten waren – soweit ich das sehen konnte. Sie schlugen die Zeit tot, indem sie einander anschwärzten und wie die Blöden gegeneinander intrigierten. Es roch nach Verschwörungen in dieser Station, aber natürlich wurde nie etwas daraus. Es war so unwirklich wie alles andere – wie der philanthropische Anstrich des ganzen Unternehmens, wie ihr Geschwätz, wie ihr Benehmen, wie die Show, die sie mit ihrer Arbeit abzogen. Das einzige wahrhaftige Gefühl war der Wunsch, in eine Handelsstation versetzt zu werden, in der sie an Elfenbein herankommen und ihre Prozente verdienen konnten. Sie intrigierten und stänkerten herum und haßten einander allein deshalb – aber daß einer auch nur einmal den kleinen Finger gerührt hätte – das nicht. Herr im Himmel! Irgendwas auf dieser Welt erlaubt dem einen, ein Pferd zu stehlen, während der andre nicht mal nach dem Halfter schielen darf. Ein Pferd stehlen, mir nichts, dir nichts. Bestens. Er hats getan. Vielleicht kann er ja reiten. Aber es gibt eine Art und Weise, nach einem Halfter zu schielen, die den barmherzigsten Heiligen dazu bringt, jemandem einen Fußtritt zu geben.«

»Ich hatte keine Ahnung, warum er so gastfreundlich zu sein wünschte, aber als wir bei ihm drin plauderten, merkte ich plötzlich, daß der Bursche auf irgendwas hinauswollte – daß er mich in Wirklichkeit aushorchte. Er spielte ununterbrochen auf Europa an, auf die Leute, die ich dort angeblich kannte – stellte Fangfragen nach meinen Bekannten in der Totengruftstadt, und so weiter. Seine kleinen Augen glühten wie Kreise aus Katzengold – weil er so neugierig war –, obwohl er sich ein Restchen Anmaßung zu bewahren suchte. Zuerst war ich verblüfft, aber sehr bald wollte ich dahinterkommen, was er denn aus mir herauszubringen versuchte. Ich konnte mir überhaupt nicht vorstellen, was ich so Spannendes in mir trug. Es war sehr hübsch mit anzusehen, wie er sich selber auf den Leim ging, denn in Tat und Wahrheit gabs in mir drin nur ein paar Fieberschauer, und in meinem Kopf waren nichts als gesunkene Dampfschiffe. Es war offenkundig, daß er mich für einen völlig schamlosen Lügner hielt. Schließlich wurde er wütend, und um einen Anfall gereizten Ärgers zu verbergen, gähnte er. Ich erhob mich. Dabei sah ich eine kleine Ölskizze, auf einer Holztafel, die eine in Tücher gehüllte Frau mit verbundenen Augen zeigte, mit einer brennenden Fackel in der Hand. Der Hintergrund war dunkel – fast schwarz. Die Haltung der Frau war majestätisch, und das Fackellicht auf ihrem Gesicht wirkte unheimlich.«

»Es fesselte mich, und er blieb höflich neben mir

stehen, mit einer leeren Drei-Dezi-Champagnerflasche (für medizinische Zwecke) in der Hand, in der eine Kerze steckte. Weil ich ihn fragte, sagte er, Herr Kurtz habe das gemalt – hier in der Station, vor mehr als einem Jahr –, als er auf eine Gelegenheit wartete, zu seinem Handelsposten zu kommen. ›Erzählen Sie mir bitte‹, sagte ich: ›Wer ist dieser Herr Kurtz?‹«

»›Der Chef der Station im Innern‹, antwortete er kurz angebunden und schaute weg. ›Herzlichen Dank‹, sagte ich lachend. ›Und Sie sind der Ziegelbrenner der Zentralstation. Jeder weiß das.‹ Er schwieg eine Weile lang. ›Er ist ein Monstrum‹, sagte er schließlich. ›Er ist ein Botschafter der Barmherzigkeit und der Wissenschaft und des Fortschritts und von weiß der Teufel was noch. Wir brauchen‹, plötzlich sprach er so, als hielte er eine Rede, ›um die hohe Aufgabe zu bewältigen, die uns von Europa sozusagen übertragen worden ist, vertieftes Wissen, weitreichende Zustimmung, zielgerichtete Beharrlichkeit.‹ ›Wer sagt das?‹ fragte ich. ›Viele‹, antwortete er. ›Manche schreiben es sogar; und darum kommt *er* hierher, ein besonderes Wesen, wie Sie wissen sollten.‹ ›Warum sollte ich das wissen?‹ unterbrach ich ihn, wirklich überrascht. Er beachtete mich nicht. ›Ja. Heute ist er der Chef der besten Station, nächstes Jahr wird er stellvertretender Direktor sein, und in zwei weitern Jahren … aber ich mache jede Wette, daß Sie wissen, was er in zwei Jahren sein wird. Sie sind die neue Gang – die Gang der Tugendhaften. Die gleichen Leute, die ihn eigens hierher schickten, haben auch Sie empfohlen. Oh, sagen Sie nicht nein. Ich hab ja schließlich Augen im Kopf.‹ Mir ging ein Licht auf. Die einflußreichen Bekannten meiner lieben Tante hatten eine unerwartete Wirkung auf diesen jungen Mann ausgeübt. Ich hatte Mühe, nicht in ein schallendes Gelächter auszubrechen. ›Lesen Sie die vertrauliche Korrespondenz der Gesellschaft?‹ fragte ich. Er hatte dazu nichts zu sagen. Er war urkomisch. ›Wenn Herr Kurtz‹, fuhr ich streng fort, ›Generaldirektor ist, werden Sie für so was keine Gelegenheit mehr haben.‹«

»Er blies plötzlich die Kerze aus, und wir gingen hinaus. Der Mond war aufgegangen, schwarze Gestalten schlurften lustlos hin und her, gossen Wasser auf die Glut, die dann aufzischte; Dampf stieg ins Mondlicht hoch, der verprügelte Neger stöhnte irgendwo. ›Was macht das Schwein für einen Rummel!‹ sagte der unermüdliche Mann mit dem Schnurrbart, der plötzlich neben uns stand. ›Geschieht ihm recht. Übertretung – Strafe – peng! Gnadenlos, gnadenlos. Es gibt keinen andern Weg. Das wird alle zukünftigen Brände verhindern. Ich sagte eben zum Direktor...‹ Er bemerkte meinen Begleiter und wurde jäh mutlos. ›Noch nicht im Bett‹, sagte er mit einer irgendwie unterwürfigen Herzlichkeit. ›Ist ja auch ganz natürlich. Ha! Die Gefahr – die Aufregung.‹ Er löste sich in Luft auf. Ich ging weiter aufs Flußufer zu, und der andere folgte mir. Ich hörte ein deutliches Murmeln nahe an meinem Ohr. ›Blöde Bande – macht nur so weiter.‹ Man konnte die Pilger sehen, die aneinandergeklumpt mit den Händen fuchtelten, miteinander sprachen. Ein paar von ihnen hatten immer noch ihre Stäbe in der Hand. Ich glaube aufrichtig, daß sie diese Stecken mit ins Bett nahmen. Jenseits des Zauns wuchs der Wald gespenstisch in die Höhe, und durch das undeutliche Getümmel, durch die schwachen Geräusche dieser erbärmlichen Siedlung hindurch rührte uns die Stille des Landes an – sein Geheimnis, seine Größe, die atemberaubende Wirklichkeit seines verborgenen Lebens. Der verletzte Neger jammerte schwach irgendwo in der Nähe und stieß dann einen so tiefen Seufzer aus, daß ich schneller ging, um von da wegzukommen. Ich spürte, daß sich eine Hand unter meinen Arm schob. ›Mein Lieber‹, sagte der Bursche. ›Ich möchte nicht mißverstanden werden, und schon gar nicht von Ihnen. Sie werden Herrn Kurtz sehen, lange bevor mir das Vergnügen vergönnt sein wird. Ich möchte nicht, daß er eine falsche Vorstellung von meinem Denken erhält ...‹«

»Ich ließ ihn weiterreden, diesen Pappmaché-Mephistopheles, und mir schien, ich könnte, versuchte ichs nur, meinen Zeigefinger durch ihn hindurchstecken, ohne in ihm drin auf mehr als, sagen wir, ein bißchen lockern Dreck zu stoßen. Er, seht ihr das nicht?, hatte es darauf angelegt, unter dem jetzigen Mann nach und nach stellvertretender Direktor zu werden, und ich sah, daß die Ankunft dieses Kurtz beide nicht wenig aus der Fassung gebracht hatte. Er sprach überstürzt, und ich versuchte nicht, ihn daran zu hindern. Ich lehnte mit meinen Schultern gegen das Wrack meines Dampfers, das wie das Gerippe eines großen Flußtiers auf die Uferböschung hinaufgehievt worden war. Der Gestank des Schlamms, dieses Urzeitschlamms, füllte meine Nasenlöcher, bei Gott!, die erhabene Stille des Urwalds war vor meinen Augen; funkelnde Glanzlichter lagen auf der schwarzen Bucht. Der Mond hatte alles mit einer Schicht aus Silber überzogen – das üppig wuchernde Gras, den Schlamm, die Mauer aus verfilzter Vegetation, die höher als die eines Tempels in die Höhe ragte, den großen Fluß, den ich durch eine dunkle Luke glitzern sah, glitzern, während er mächtig und ohne ein Geräusch vorbeifloß. All das war großartig, voller Erwartung, stumm, während der Mann von sich selber schwatzte. Ich fragte mich, ob das Schweigen auf dem Gesicht der Unendlichkeit, die uns beide ansah, eine Bitte oder eine Drohung meinte. Was waren wir, die wir uns hierher verirrt hatten? Konnten wir mit diesem stummen Etwas umgehen, oder ging es mit uns um? Ich spürte, wie groß, wie bestürzend groß dieses Wesen war, das nicht sprechen konnte und vielleicht auch taub war. Was war dort drinnen? Ich konnte ein bißchen Elfenbein sehen, das herauskam, und ich hatte gehört, Herr Kurtz sei dort. Ich hatte mehr als genug davon gehört – weiß Gott! Und doch, irgendwie verband sich mit alledem kein Bild – nicht mehr, als hätte man mir erzählt, ein Engel oder ein Teufelsgeist lebe dort. Ich glaubte es auf dieselbe Weise, wie ihr vielleicht glaubt, daß der Planet Mars bewohnt ist. Ich kannte einst einen schottischen Segelmacher, der sicher war, todsicher, daß es Lebewesen auf dem Mars gebe. Wenn man ihn aus irgendeinem Grund fragte, wie sie denn aussähen und was sie täten, wurde er scheu und brummte etwas wie ›Sie gehen auf allen vieren‹. Wenn man dann auch nur ein bißchen lächelte, wollte er sich – obwohl um die sechzig – mit einem prügeln. Ich wäre nicht so weit gegangen, mich wegen Kurtz zu prügeln, aber seinetwegen hätte ich beinahe gelogen. Ihr wißt, daß ich das Lügen hasse, verabscheue und nicht ausstehen kann, nicht weil ich edler als die übrige Menschheit bin, sondern einfach, weil es mich entsetzt. Im Lügen ist ein Todeshauch, ein Sterbensgeruch – genau das, was ich in dieser Welt hasse und verabscheue – was ich vergessen will. Es macht mich elend und krank, wie wenn man auf etwas Verfaultes beißt. Eine Frage des Temperaments, nehme ich an. Nun, ich kam ihm recht nahe, indem ich den jungen Depp alles glauben ließ, was er sich, meinen Einfluß in Europa betreffend, nur einbilden wollte. Im Nu produzierte ich ebensoviel heiße Luft wie die übrigen dieser verhexten Pilger. Einfach deshalb, weil ich das Gefühl hatte, es könnte diesem Kurtz irgendwie helfen, den ich zu der Zeit gar nicht sah – versteht ihr? Er war nur ein Wort für mich. Ich konnte den Mann im Namen nicht mehr sehen, als ihr es tut. Seht ihr ihn? Seht ihr irgendwas? Mir kommts so vor, als versuchte ich, euch einen Traum zu erzählen – vergeblich, weil kein Bericht eines Traums das Traumgefühl vermitteln kann, jenen Mischmasch aus Absurdität, Überraschung und Bestürzung, wenn wir in hilfloser Empörung beben und zittern, jene Vorstellung, vom Unfaßbaren eingefangen worden zu sein, was ja tatsächlich das Wesen der Träume ist...«

Er schwieg eine Weile lang.

»... Nein, es ist unmöglich; es ist unmöglich, das

Lebensgefühl einer x-beliebigen Epoche unsres Daseins zu vermitteln – das, was ihre Wahrheit, ihren Sinn ausmacht – ihr zartes und durchdringendes Wesen. Es ist unmöglich. Wir leben, wie wir träumen – allein…«

Er hielt wieder inne, schien nachzudenken und fügte hinzu –

»Natürlich erkennt ihr Lümmel in alledem mehr, als mir damals möglich war. Ihr seht mich, und ihr kennt mich…«

Es war stockdunkel geworden, so daß wir Zuhörer uns gegenseitig kaum noch erkennen konnten. Seit langem schon war er, weil er abseits saß, nur noch eine Stimme für uns gewesen. Niemand sagte ein Wort. Vielleicht schliefen die andern, ich jedenfalls war wach. Ich hörte zu, hörte und lauerte auf den Satz, das Wort, das mir den Schlüssel zu dem schwachen Unbehagen liefern konnte, das diese Geschichte auslöste, die von allein, ohne die Hilfe menschlicher Lippen, in der schweren Nachtluft des Flusses Gestalt anzunehmen schien.

»…Ja – ich ließ ihn weiterplappern«, begann Marlow erneut, »und über die Mächte, die hinter mir standen, denken, was immer er wollte. Ich ließ ihn! Und hinter mir stand nichts! Nichts als dieses gestrandete, alte, kaputte Dampfschiff, gegen das ich gelehnt stand, während er geläufig über das ›Bedürfnis eines jeden, vorwärtszukommen‹ sprach. ›Wenn also einer hierher kommt, ist ja klar, dann nicht, um den Mond anzuglotzen.‹ Herr Kurtz sei ein ›Universalgenie‹, aber selbst ein Genie finde es leichter, mit ›angemessenen Geräten – intelligenten Menschen‹ zu arbeiten. Er stelle keine Ziegel her – und zwar, weil dem eine physikalische Unmöglichkeit im Wege stehe –, wie ich ja wohl sähe; und wenn er Büroarbeiten für den Direktor erledige, so nur, weil ›kein vernünftiger Mensch vorsätzlich das Vertrauen seiner Vorgesetzten von sich weist‹. Ob ich das verstünde? Ich verstand es. Was ich dann noch wolle? Was ich wirklich wollte, waren Nieten, zum Teufel! Nieten. Um mit der Arbeit voranzukommen – um das Leck zu dichten. Nieten brauchte ich. Ganze Kisten voll standen an der Küste unten – Kisten – übereinandergestapelt – zerborsten – kaputtgeschlagen! Alle zwei Schritte war ich in jener Station am Hügel über eine herumliegende Niete gestolpert. Nieten waren in den Todeshain hinuntergerollt. Man konnte sich die Taschen mit Nieten füllen, wenn man sich nur die Mühe machte, sich zu bücken – und da, wo man sie brauchte, gabs keine einzige Niete. Wir hatten Platten, die paßten, aber nichts, um sie zu befestigen. Und jede Woche brach der Bote, ein einsamer Neger, von unsrer Station zur Küste auf, mit der Posttasche über den Schultern und einem Stab in der Hand. Und mehrere Male in einer Woche kam eine Karawane mit Waren von der Küste her – grauenvoll gefärbtem Kaliko, das einen schaudern ließ, wenn mans nur anschaute, Glasperlen, die einen Penny pro Kilo wert waren, scheußlich getupften Baumwolltaschentüchern. Und keinen Nieten. Drei Träger hätten alles, was den Dampfer flottmachen würde, herbeischaffen können.«

»Er wurde jetzt geradezu intim, aber ich vermute, meine abweisende Haltung ließ ihn schließlich verzweifeln, denn er hielt es für notwendig, mir mitzuteilen, daß er weder Gott noch Teufel fürchte, und schon gar nicht einen sterblichen Menschen. Ich sagte, ich könne das sehr gut sehen, aber was ich bräuchte, sei eine bestimmte Anzahl Nieten – und Nieten seien das, was sich Herr Kurtz wirklich wünschen würde, wüßte er nur von ihnen. Statt dessen gingen jede Woche Briefe zur Küste ab… ›Mein Herr‹, rief er. ›Ich schreibe nach Diktat.‹ Ich verlangte Nieten. Das mußte doch möglich sein – für einen intelligenten Menschen. Er änderte seine Methode; wurde sehr kalt und begann plötzlich von einem Flußpferd zu sprechen; war erstaunt, daß ich, da ich an Bord des Dampfers schlief (ich harrte Tag und Nacht bei meinem geborgenen Schiff aus), nicht gestört wurde. Es gab ein altes Flußpferd, das die üble Gewohnheit hatte, in der Nacht ans Ufer zu klettern und auf dem Gelände der Station herumzustrolchen. Die Pilger pflegten bis zum letzten Mann auszurücken und alle Flinten, die sie zu fassen kriegten, auf es abzufeuern. Manche waren sogar nächtelang im Anschlag gelegen. Aber all der Aufwand war für die Katz. ›Dieses Tier hat einen Zauber, der sein Leben schützt‹, sagte er. ›Aber so was kann man nur von den wilden Viechern in diesem Land sagen. Kein Mensch – verstehen Sie mich? –, kein Mensch hat ein durch Zauberei geschütztes Leben.‹ Er stand für einen Augenblick dort im Mondlicht, mit seiner empfindsamen, ein bißchen schiefen Hakennase und seinen starren Katzenaugen, und stakste dann, mit einem kurz angebundenen Gute Nacht, davon. Ich konnte sehen, daß er arg durcheinander war, was mich so hoffnungsvoll stimmte, wie ich es seit Tagen nicht mehr gewesen war. Es war eine Wohltat, mich von diesem Kerl ab- und meinem einflußreichen Freund zuzuwenden, dem zerbeulten, verbogenen, kaputten Blechkahn. Ich kletterte an Bord. Er schepperte unter meinen Füßen wie eine leere Huntley-&-Palmers-Keksdose, die einen Rinnstein entlangkollert; er war lausig konstruiert und sah noch elender aus, aber ich hatte genügend harte Arbeit in ihn hineingesteckt, um ihn zu lieben. Kein einflußreicher

Freund hätte mir einen bessern Dienst erweisen können. Er hatte mir eine Chance gegeben, mich ein bißchen kennenzulernen – herauszufinden, zu was ich fähig war. Nein, ich arbeite nicht gern. Ich wäre lieber faul herumgelegen und hätte an all die schönen Dinge gedacht, die man so tun kann. Ich arbeite nicht gern – niemand tut das –, aber ich mag, was in der Arbeit drinsteckt – die Möglichkeit, sich selbst zu finden. Die eigene Wirklichkeit – für einen selbst, nicht für andere –, das, was niemand sonst je wissen kann. Die andern können nur den äußern Schein sehen und nie sagen, was er wirklich bedeutet.«

»Ich war nicht überrascht, jemanden achtern auf dem Deck sitzen zu sehen, der die Beine über dem Schlamm baumeln ließ. Versteht ihr, ich kam mit den paar Mechanikern, die es in der Station gab, ziemlich gut aus; die Pilger verachteten sie natürlich – wegen ihren nicht ganz korrekten Manieren vermutlich. Der da war der Vorarbeiter – ein gelernter Kesselschmied – ein guter Arbeiter. Er war ein schmächtiger, knochiger Mann mit einem gelben Gesicht und großen, intensiven Augen. Er sah besorgt aus, und sein Schädel war so kahl wie mein Handballen; aber seine Haare schienen, als sie ausgefallen waren, am Kinn hängengeblieben zu sein und waren in ihrer neuen Heimat prächtig gediehen, denn sein Bart hing ihm bis zur Taille hinab.

Er war Witwer und hatte sechs kleine Kinder (er hatte sie, bis er da wieder rauskam, in der Obhut einer Schwester gelassen), und seine Lebensleidenschaft waren Brieftauben. Er war ein Enthusiast und ein Kenner. Er schwärmte stundenlang von Tauben. Nach der Arbeit kam er zuweilen aus seiner Hütte herüber, um von seinen Kindern und Tauben zu sprechen; wenn wir arbeiteten und er im Schlamm unter den Schiffsrumpf kriechen mußte, hüllte er seinen Bart in so etwas wie eine weiße Serviette, die er extra dafür mitbrachte. Sie hatte Schlaufen, die er sich über die Ohren hängte. Am Abend konnte man ihn sehen, wie er am Ufer hockte, diese Schutzhülle sehr sorgfältig spülte und sie dann feierlich über einen Busch breitete, wo sie trocknete.«

»Ich schlug ihn auf den Rücken und röhrte: ›Wir kriegen Nieten!‹ Er versuchte, auf die Füße zu kommen, und rief. ›Nein! Nieten!‹, als traue er seinen Ohren nicht. Dann ganz leise: ›Sie … ja?‹ Ich weiß nicht, wieso wir uns wie Verrückte aufführten. Ich legte einen Finger an meine Nase und nickte geheimnisvoll. ›Gut für Sie!‹ rief er, schnickte mit den Fingern überm Kopf, hob einen Fuß. Ich versuchte es mit einer Gigue. Wir hüpften auf dem Eisendeck herum. Ein schreckerregendes Getöse kam aus dem Rumpf; und der Urwald auf der andern Seite der Bucht sandte es in ein Donnergrollen verwandelt über die schlafende Station zurück. Wahrscheinlich saßen ein paar von den Pilgern stocksteif vor Angst in ihren Schuppen. Eine schwarze Gestalt verdunkelte den erleuchteten Eingang der Hütte des Direktors, verschwand, und ein, zwei Sekunden später verschwand auch der Eingang selber. Wir blieben stehen, und die Stille, die unsre trampelnden Füße verscheucht hatte, strömte aus den Tiefen des Landes zurück. Die hohe Vegetationsmauer, eine gewaltige und in sich verstrickte Masse aus bewegungslos im Mondlicht glänzenden Stämmen, Ästen, Blättern, Zweigen, Lianen, wirkte wie eine machtvolle Invasion geräuschlosen Lebens, eine heranrollende Pflanzenwelle, die riesenhoch über uns stand, drauf und dran, auf die Bucht niederzubrechen, jeden von uns kleinen Menschen aus seinem kleinen Dasein zu fegen. Und sie bewegte sich nicht. Ein dumpfes, mächtiges Planschen drang von fern an unsre Ohren, als habe ein Ichthyosaurus ein Bad im Geglitzer des großen Flusses genommen. ›Letzten Endes‹, sagte der Kesselmacher und klang ganz vernünftig, ›wieso sollten wir keine Nieten kriegen?‹ Tatsächlich, wieso nicht! Mir fiel kein einziger Grund ein, warum wir das nicht sollten. ›In drei Wochen sind sie da‹, sagte ich zuversichtlich.«

»Aber das waren sie nicht. An Stelle der Nieten kam eine Invasion, eine Plage, eine Heimsuchung.

Sie kam in Schüben während der nächsten drei Wochen, wobei jedem Schub ein Esel vorausschritt, der einen Weißen in neuen Kleidern und Lederschuhen trug, welcher von seiner majestätischen Höhe herunter rechts und links zu den beeindruckten Pilgern herabnickte. Eine streitsüchtige Bande fußkranker, schlechtgelaunter Neger trottete im Sog des Esels; jede Menge Zelte, Feldsessel, Blechkästen, weißbemalte Kisten, braune Ballen wurden auf den Platz geworfen, und das Geheimnis, das über der Station lag, wurde noch etwas größer. Fünf von diesen in Raten gelieferten Gruppen trafen ein, und jede schien sich auf einer absurden, ungeordneten Flucht zu befinden, vollbepackt mit der Beute aus zahllosen Läden für Expeditionsausrüstungen und Lebensmittelgeschäften, die sie, so schien es, nach einem Raubzug in die Wildnis schleppten, um sie gerecht zu teilen. Ein unentwirrbares Durcheinander aus an sich redlichen Dingen lag herum, die der menschliche Irrsinn wie Diebesgut aussehen ließ.«

»Dieser verschworene Haufen nannte sich *Eldorado Exploring Expedition,* und ich glaube, sie hatten sich zu gegenseitiger Verschwiegenheit verpflichtet. Aber wie sie sprachen, das klang sehr nach gewissenlosen Freibeutern; rücksichtslos, aber nicht kühn; gierig, aber nicht verwegen; und grausam, aber nicht mutig. Nicht ein Atom Voraussicht oder ernsthafter Planung war in dem ganzen Pulk zu finden, und sie schienen noch nie davon gehört zu haben, daß man so was braucht, um die Welt in Gang zu halten. Dem Innern des Landes seine Schätze entreißen, das wollten sie, mit ähnlich großen Skrupeln wie Einbrecher belastet, die einen Safe aufbrechen. Wer die Kosten dieses edlen Unternehmens bestritt, weiß ich nicht; aber der Onkel unseres Direktors war der Anführer der Bande.«

»Er glich einem Metzger aus einem Armenviertel, und seine Augen blickten schläfrig und schlau. Er schleppte seinen fetten Wanst ostentativ auf seinen kurzen Beinchen herum und sprach während der ganzen Zeit, in der seine Gang die Station unsicher machte, ausschließlich mit seinem Neffen. Den ganzen Tag über konnte man sie sehen, wie sie herumwanderten, die Köpfe zusammensteckten und endlos miteinander schwatzten.«

»Ich hatte es aufgegeben, mir wegen den Nieten den Kopf zu zerbrechen. Unser Talent für diese Art von Spinnereien ist beschränkter, als ihr vielleicht annehmt. Ich sagte: Was solls! und ließ alles schleifen. Ich hatte viel Zeit zum Nachdenken und dachte hie und da ein bißchen an Kurtz. Er beschäftigte mich nicht sehr. Nein. Trotzdem nahm mich wunder, ob dieser Mann, der mit den Vorstellungen irgendeiner Moral hierhergekommen war, tatsächlich in eine hohe Position aufsteigen würde und was er, dort angekommen, täte.«

2

Eines Abends, als ich längelang auf dem Deck meines Dampfschiffs lag, hörte ich Stimmen, die näher kamen – den Neffen und den Onkel, die dem Ufer entlangschlenderten. Ich legte meinen Kopf wieder auf meinen Arm und war fast schon eingenickt, als eine Stimme ganz nahe an meinem Ohr sagte: ›Ich bin so harmlos wie ein kleines Kind, aber ich mag es nicht, wenn man mir Vorschriften macht. Bin ich der Direktor – oder nicht? Man gab mir den Befehl, ihn dorthin zu schicken. Es ist unglaublich.‹ … Ich merkte, daß die beiden am Ufer unten standen, beim Vorschiff, direkt unterhalb meines Kopfs. Ich rührte mich nicht; ich kam auch gar nicht auf die Idee, mich zu rühren; ich war schläfrig. ›Es *ist* unerfreulich‹, brummte der Onkel. ›Er hat die Verwaltung gebeten, dorthin geschickt zu werden‹, sagte der andere, ›mit der Absicht, zu zeigen, wozu er fähig ist. Und ich wurde dementsprechend instruiert. Da siehst du den Einfluß, den dieser Mann haben muß. Ist das nicht furchterregend?‹ Beide waren sich einig, daß es furchterregend sei, dann machten sie mehrere seltsame Bemerkungen: ›Sonne und Regen machen – ein einzelner Mann – der Verwaltungsrat – an der Nase herum‹ – Fetzen absurder Sätze, die bald über meine Schläfrigkeit siegten, so daß ich schon ziemlich bei der Sache war, als der Onkel sagte: ›Vielleicht schafft dir ja das Klima dieses Problem vom Hals. Ist er allein dort?‹ ›Ja‹, antwortete der Direktor. ›Er schickte seinen Assistenten den Fluß hinunter, mit einem Notizzettel für mich, auf dem stand: Schaffen Sie diesen armen Teufel aus dem Land, und schicken Sie mir nie mehr einen von der Art. Ich bin lieber allein als mit einem von den Männern, die Sie mir zur Verfügung stellen können. Das war vor einem Jahr. Eine bodenlose Frechheit!‹ ›Und seither?‹ fragte der andere heiser. ›Elfenbein‹, stieß der Neffe hervor. ›Jede Menge – Spitzenqualität – massenhaft – äußerst ärgerlich, von ihm.‹ ›Und sonst?‹ fragte das heisere Krächzen. ›Die Rechnung‹, war die Antwort, wie aus der Pistole geschossen, um es mal so zu sagen. Dann Stille. Sie hatten von Kurtz gesprochen.«

»Ich war inzwischen hellwach, blieb aber bewegungslos, da ich bequem lag und keinen Anlaß sah, meine Lage zu ändern. ›Wie kam das Elfenbein den ganzen weiten Weg?‹ knurrte der ältere Mann, der sehr verärgert schien. Der andere erklärte, daß es in einer ganzen Flotte aus Kanus gekommen sei, die unter dem Befehl eines halb englischen, halb eingeborenen Gehilfen gestanden habe, der von Kurtz mitgebracht worden sei; daß Kurtz offenbar selber habe herkommen wollen, weil der Station damals die Vorräte und die Waren ausgegangen seien, daß er sich aber, nach mehr als fünfhundert Kilometern, plötzlich entschlossen habe, umzukehren, was er auch sofort in einem kleinen Einbaum mit vier Ruderern in die Tat umgesetzt habe, während der Gehilfe mit dem Elfenbein weiter den Fluß hinabgefahren sei. Die beiden Kerle schienen völlig verblüfft, daß jemand so was tun konnte. Sie sahen kein ausreichendes Motiv. Was mich betrifft, so kam es mir vor, als sähe ich Kurtz zum ersten Mal. Es war ein klares Bild: der Einbaum, die vier rudernden Eingeborenen, und der einsame Weiße, der dem Hauptquartier plötzlich den Rücken zuwandte, der Erholung, den Gedanken ans Zuhause – vielleicht; der seine Blicke auf die Tiefe der Wildnis richtete, auf seine leere und öde Station. Ich wußte nicht, warum er das tat. Vielleicht war er einfach ein patenter Bursche, der seine Arbeit um ihrer selbst willen mochte. Sein Name, versteht ihr, war nicht ein einziges Mal genannt worden. Er war ›dieser Mann‹. Der Gehilfe, der, soweit ich das beurteilen konnte, eine schwierige Fahrt mit großer Umsicht und viel Mut bewältigt hatte, wurde stets nur ›dieser Lump‹ genannt. Der ›Lump‹ hatte berichtet, daß der ›Mann‹ sehr krank gewesen sei – sich nur halbwegs erholt habe… Die beiden unter mir gingen dann ein paar Schritte weg und schlenderten in einiger Entfernung auf und ab. Ich hörte: ›Militärposten – Arzt – dreihundert Kilometer – ziemlich allein jetzt – unvermeidliche Verspätungen – neun Monate – seltsame Gerüchte.‹ Sie kamen wieder näher, als der Direktor gerade sagte: ›Keiner, soviel ich weiß, höchstens ein herumreisender Händler – ein widerlicher Bursche, der den Eingeborenen Elfenbein abluchst.‹ Von wem sprachen sie jetzt? Ich reimte mir aus den paar Gesprächsfetzen zusammen, daß er ein Mann war, der sich im Distrikt von Kurtz aufhielt und den der Direktor nicht riechen konnte. ›Wir werden diese Schmutzkonkurrenz nicht los, bis wir einen von den Kerlen als abschreckendes Beispiel aufgehängt haben‹, sagte er. ›Sicher‹, grunzte der andere. ›Häng ihn auf! Warum nicht? Alles – alles kann man in diesem Land tun. Das sage ich doch schon die ganze Zeit: niemand hier, verstehst du, *hier,* kann deiner Stellung gefährlich werden. Und warum? Du hältst das Klima aus – du überlebst sie alle. Die Gefahr liegt in Europa; aber ich habe, bevor ich wegfuhr, dafür gesorgt, daß…‹ Sie gingen weiter und flüsterten, dann wurden die Stimmen wieder lauter. ›Die ungewöhnlich häufigen Verzögerungen sind nicht mein Fehler. Ich habe mein Bestes getan.‹ Der Dickwanst seufzte. ›Sehr traurig.‹ ›Und was er daherredet, stinkt zum Himmel‹, fuhr der andere fort. ›Er hat mir jeden Nerv einzeln gezogen, als er hier war. *Jede Station sollte ein Fanal auf dem Weg zum Besseren sein, ein Handelszentrum natürlich, aber auch eins der Menschlichkeit, des Fortschritts, der Bildung.* Stell dir das vor – so ein Arschloch! Und der will Direktor werden! Nein, es ist –‹ Er verschluckte sich an seiner wilden Entrüstung, und ich hob ein kleines bißchen den Kopf. Ich war überrascht zu sehen, wie nahe sie waren – direkt unter mir. Ich hätte ihnen auf die Hüte spucken können. Sie sahen zu Boden, in ihre Gedanken versunken. Der Direktor schlug sich mit einem dünnen Zweig gegen ein Bein; sein kluger Verwandter hob den Kopf. ›Und du bist gesund geblieben, seitdem du zurück bist?‹ fragte er. Der andere schrak hoch. ›Wer? Ich? Oh! Als sei ich verzaubert – als sei ich verzaubert. Aber die andern – mein Gott! Alle krank. Sie sterben auch so schnell, daß ich keine Zeit habe, sie aus dem Land zu bringen – es ist unglaublich!‹ ›Hm. So ist das‹, brummte der Onkel. ›Ah! Mein Junge, verlaß dich da drauf – ich sage dir, verlaß dich da drauf.‹ Ich sah, wie er einen seiner Flossenarme mit einer Gebärde bewegte, die den Wald, die Bucht, den Schlamm, den Fluß umfaßte – und, als sie sich dem sonnenhellen Gesicht des Landes zuwandte, dem lauernden Tod, dem verborgenen Bösen, der tiefen Finsternis seines Herzens eine hinterlistige Aufforderung zuzuwinken schien. Das war so überrumpelnd, daß ich auf meine Füße sprang und zum Waldrand hinübersah, als hätte ich irgendeine Antwort auf diese schwarze, anmaßende Frechheit erwartet. Ihr kennt die verrückten Gedanken, die uns zuweilen überfallen. Die gewaltige Stille setzte diesen beiden Kreaturen ihre unheildrohende Geduld entgegen und wartete, daß die wunderlichen Eindringlinge wieder verschwänden.«

»Beide fluchten los wie die Rohrspatzen – zu Tode erschrocken, glaube ich –, taten dann so, als hätten sie mich nicht gesehen, und gingen zur Station zurück. Die Sonne stand tief; und als sie Seite an Seite vornübergebeugt den Hügel hinaufgingen, schienen sie ihre zwei lächerlichen, verschieden langen Schatten mühselig hinter sich herzuschleppen, über das hohe Gras hin, ohne einen einzigen Halm zu knicken.«

»Ein paar Tage später drang die Eldorado-Expedition in die geduldige Wildnis ein, die sich hinter ihr wie das Meer über einem Taucher schloß. Viel später hörten wir, daß alle Esel tot waren. Vom Los der weniger wertvollen Tiere weiß ich nichts. Ihnen widerfuhr, ohne Zweifel, das Schicksal, das sie verdienten, wie uns allen. Ich fragte nicht weiter nach ihnen. Ich war zu der Zeit ziemlich erregt, weil ich Kurtz sehr bald treffen sollte. Wenn ich sehr bald sage, meine ich: vergleichsweise. Genau zwei Monate nachdem wir die Bucht verlassen hatten, erreichten wir das Ufer unter der Station von Kurtz.«

»Diesen Fluß hochzufahren war wie eine Reise zu den frühesten Tagen der Erde, als wirre Pflanzen sie überwucherten und die großen Bäume Könige waren. Ein leerer Strom, eine große Stille, ein undurchdringlicher Wald. Die Luft war warm, dick, schwer, zäh. Im Glanz des Sonnenscheins lag keine Freude. Die langen Streckenabschnitte des Flußlaufs dehnten sich öde vor uns und führten ins Düster schattenverhangener Fernen hinein. Auf silbrig-glänzenden Sandbänken sonnten sich nebeneinander Flußpferde und Krokodile. Wenn der Fluß breiter wurde, floß er zwischen unzähligen bewaldeten Inseln; man konnte sich wie in einer Wüste verirren und fuhr den lieben langen Tag auf Sandbänke auf, während man die Fahrrinne suchte, bis man dachte, man sei verhext und für alle Zeiten von allem getrennt, was man einst gekannt hatte – irgendwo – weit weg – in einem andern Dasein vielleicht. Es gab Augenblicke, da die Vergangenheit in einem aufstieg, so wie sie das zuweilen tut, wenn man keinen Augenblick Muße für sich selbst hat; aber sie stieg als ein rastloser und lärmiger Traum verkleidet auf, und ich erinnerte mich angesichts der überschwemmenden Wirklichkeit dieser fremdartigen Welt aus Pflanzen und Wasser und Stille mit Verblüffung an sie. Und dieses Schweigen des Lebens glich in nichts irgendeinem Frieden. Es war das Schweigen einer gnadenlosen Macht, die über unverstehbaren Plänen brütete. Uns rachsüchtig ansah. Später dann gewöhnte ich mich an sie; ich bemerkte sie überhaupt nicht mehr; hatte keine Zeit. Ich mußte weiterhin die Fahrrinne erraten; mußte, durch Inspiration vor allem, die Anzeichen verborgener Sandbänke ausmachen; spähte nach Felsen im Wasser; lernte, tüchtig mit den Zähnen zu klappern, bevor mir auch noch das Herz in die Hose fiel, wenn ich haarscharf an einem teuflischen, hinterlistigen Baumstamm vorbeischrammte, der das Blechboot zermalmt und alle Pilger ertränkt hätte; mußte nach totem Holz am Ufer Ausschau halten, das wir in der Nacht schneiden konnten, um am nächsten Morgen den Kessel zu heizen. Wenn man sich um solches Zeug kümmern muß, um die schiere Oberfläche, verliert man die Wirklichkeit – die Wirklichkeit, sage ich – aus den Augen. Die innere Wahrheit ist verborgen – zum Glück, zum Glück. Aber ich spürte sie trotzdem; spürte oft ihr geheimnisvolles Schweigen, wie sie meinem Getue zusah, so wie sie euch Burschen zusieht, wenn ihr eure Seiltanzkunststückchen vorführt für – für wieviel? eine halbe *crown* pro Salto –«

»Jetzt werd mal nicht frech, Marlow«, brummte eine Stimme, und ich wußte nun, daß außer mir noch mindestens ein anderer zuhörte.

»Entschuldige. Ich vergaß die Herzensschmerzen, die den Rest des Preises ausmachen. Und zudem, welche Rolle spielt der Preis, wenn der Trick hinhaut? Ihr beherrscht eure Tricks bestens. Und ich schlug mich auch nicht allzuschlecht durch, da es mir gelang, jenen Dampfer auf meiner ersten Fahrt nicht in Grund und Boden zu fahren. Für mich ist das heute noch ein Wunder. Stellt euch einen Mann vor, der einen Lieferwagen mit verbundenen Augen über eine schlechte Straße steuern soll. Ich schwitzte Bäche, das kann ich euch sagen. Schließlich ist es für einen Seemann eine unverzeihliche Sünde, wenn er den Boden des Dings aufschlitzt, das unter seiner Obhut schwimmen soll, und nur das. Niemand mag es bemerkt haben, aber du selbst vergißt den Ruck nie – was? Ein Stich direkt ins Herz. Du erinnerst dich an ihn, du träumst davon, du wachst in der Nacht auf und denkst daran – Jahre später –, und der kalte Schweiß läuft dir den Rücken hinunter. Ich behaupte ja gar nicht, daß das Boot immer flott gewesen sei. Mehr als einmal mußte es ein bißchen im Dreck waten, während zwanzig Kannibalen im Wasser herumplanschten und es schoben. Wir hatten unterwegs ein paar dieser Kerle angeheuert. Gute Leute – Kannibalen – wenn sie zu Hause waren. Man konnte mit ihnen arbeiten, und ich bin ihnen dankbar. Immerhin fraßen sie sich nicht gegenseitig vor meinen Augen: sie hatten einen Vorrat aus Flußpferdfleisch mitgebracht, das langsam faulig wurde, so daß mir das Geheimnis der Wildnis immer mehr in die Nase stank. Puh! Ich kanns immer noch riechen. Ich hatte den Direktor an Bord, und drei oder vier Pilger mit ihren Stäben – nichts fehlte. Hie und da kamen wir zu einer Station nahe am Ufer, die sich an den Saum des Unbekannten klammerte, und die Weißen, die überrascht aus einer elenden Hütte gerannt kamen und uns wild gestikulierend willkommen hießen, wirkten sehr seltsam – machten den Eindruck, als halte ein Zauber sie dort gefangen. Das Wort Elfenbein schwebte eine Weile lang in der Luft – und schon fuhren wir weiter in die Stille hinein, auf leeren, schnurgeraden Stromstrecken, um Biegungen ohne einen Laut, zwischen den hohen Mauern unseres gewundenen Wegs, die das Echo der wuchtigen Schläge des Heckrads wie einen schütteren Applaus klingen ließen. Bäume, Bäume, Millionen Bäume, wuchtig, riesengroß, hoch aufragend; und zu ihren Füßen kroch, immer dicht am Ufer, das kleine, schmutzige Dampfboot wie ein tölpeliger Käfer, der sich auf dem Boden eines himmelhohen Säulentempels vorwärts bemüht. Wir kamen uns sehr klein vor, sehr verloren, und trotzdem wars nicht eigentlich bedrückend, dieses Gefühl. Schließlich, wenn wir auch klein waren, so kam der verrußte Käfer doch voran – was ja genau das war, was wir von ihm erwarteten. Wo ihn die Pilger hinkriechen lassen wollten, weiß ich nicht. Irgendwohin, wo sie irgendwas zu ergattern hofften, jede Wette! Für mich krabbelte er auf Kurtz zu – und nur das; als allerdings die Dampfleitungen zu lecken begannen, krabbelten wir nur noch sehr langsam. Die Stromstrecken öffneten sich vor uns und schlossen sich hinter uns wieder, als habe sich der Wald gemächlich über das Wasser geschoben, um uns den Rückweg abzuschneiden. Wir drangen tiefer und tiefer ins Herz der Finsternis ein. Es war sehr ruhig dort. Nachts wirbelte hinter dem Baumvorhang zuweilen Trommeldröhnen den Fluß hinauf und blieb ganz schwach bis zum Morgengrauen hörbar, als schwebe es hoch über unsern Köpfen in der Luft. Ob es Krieg bedeutete, Frieden, oder Gebet, wir konnten es nicht entscheiden. Die Morgendämmerungen wurden von einer frostigen Stille angekündigt; die Holzfäller schliefen, ihre Feuer verglimmten; das

Knacken eines Asts ließ uns hochfahren. Wir waren Wanderer auf prähistorischer Erde, auf einer Erde, die wie ein unbekannter Planet aussah. Wir hätten uns einbilden können, die allerersten Menschen zu sein, die eine mit einem Fluch belegte Erbschaft antraten, welche nur unter den schrecklichsten Qualen und mit äußerster Anstrengung auszuhalten war. Aber jäh, wenn wir uns um eine Biegung kämpften: Schilfzäune, spitze Grasdächer, ein Geschrei plötzlich, ein Wirrwarr aus schwarzen Beinen, klatschende Hände überall, stampfende Füße, sich wiegende Körper, rollende Augen hinter schwerem, bewegungslosem Blattgrün. Der Dampfer keuchte langsam den Rand eines schwarzen und unverständlichen Wahnsinns entlang. Der prähistorische Mensch verfluchte uns, betete uns an, hieß uns willkommen – wer konnte es sagen? Wir waren vom Verständnis unsrer Umgebung abgeschnitten; schwebten wie Gespenster vorbei, staunend und insgeheim entsetzt, so wie das gesunde Menschen angesichts einer begeisterungsglühenden Revolte in einem Irrenhaus wären. Wir konnten nichts verstehen, weil wir zu weit weg waren, und wir konnten uns an nichts erinnern, weil wir in der Nacht der Urzeiten fuhren, jener Zeiten, die vergangen sind, fast ohne eine Spur zu hinterlassen – eine Erinnerung gar.«

»Die Erde schien unirdisch. Wir sind daran gewöhnt, auf die gefesselte Gestalt eines niedergerungenen Ungeheuers zu blicken, aber hier – hier sahen wir auf ein ungeheuerliches und freies Etwas. Es war unirdisch, und die Menschen waren – nein, sie waren nicht unmenschlich. Genau, versteht ihr, das war das Schlimmste von allem – der Verdacht, daß sie nicht unmenschlich waren. Er drang uns langsam ins Bewußtsein. Sie heulten und hüpften, sie wirbelten herum, schnitten grausliche Gesichter; was uns aber erschreckte, war just der Gedanke an ihre Menschlichkeit – die unserer glich –, der Gedanke an die entfernte Verwandtschaft mit diesem wilden und leidenschaftlichen Aufruhr. Häßlich. Ja, es war ziemlich häßlich; aber wenn wir nur Manns genug waren, mußten wir uns eingestehen, daß in uns die allerdings äußerst schwache Spur einer Antwort auf die schreckliche Offenheit dieses Getöses lebte, der vage Verdacht, es gebe darin – wie fern wir auch der Nacht der Urzeiten gerückt sein mochten – einen Sinn, den wir zu erfassen vermochten. Und warum nicht? Der Geist des Menschen ist zu allem fähig – weil alles in ihm lebt, die ganze Vergangenheit *und* die ganze Zukunft. Schließlich, was war denn dort? Freude, Angst, Leid, Hingabe, Mut, Wut – wer weiß es? –, aber die Wahrheit – die Wahrheit legte ihre Verkleidung aus Zeit ab. Die Blöden mögen gaffen und bibbern – ein Mann weiß und kann hinschauen, ohne mit der Wimper zu zucken. Allerdings muß er mindestens so sehr ein Mann wie die dort an der Küste sein. Er muß ihrer Wahrheit mit seiner eigenen Substanz begegnen – mit seiner eigenen, ihm angeborenen Kraft. Ein paar Grundsätze reichen da nicht aus. Zusammengerafftes Zeug, Kleider, hübsche Tuchfetzen – sie würden beim ersten heftigen Zusammenprall davonfliegen. Nein; man braucht einen wohlfundierten Glauben. Eine Botschaft für mich in diesem Höllenlärm – ja, wirklich? Sehr gut; ich höre; ich nehme sie an, aber auch ich habe eine Stimme, und, gut oder schlecht, meine Stimme kann nicht zum Schweigen gebracht werden. Ein Verrückter natürlich, so einer, der die Hosen voll hat und lauter erlesene Gefühle in sich spürt, der ist immer fein raus. Wer grunzt da? Ihr wundert euch, daß ich nicht an Land ging und mitheulte und tanzte? Schön, nein – ich ging nicht. Erlesene Gefühle, wars das? Für erlesene Gefühle, scheiß der Hund drauf, hatte ich keine Zeit. Ich hantierte mit Bleiweiß und in Streifen geschnittenen Wolldecken herum, um jenen lecken Dampfrohren Verbände anzulegen – sprechen wir nicht mehr davon. Ich mußte das Steuer im Auge behalten und den Baumstämmen ausweichen und mein Spielzeugschiff auf Teufel komm raus vorwärtsbringen. In all dem gabs genügend Oberflächenwahrheit, um einen klügern Mann zu retten. Und zwischendurch mußte ich noch auf den Wilden aufpassen, der mein Heizer war. Er war ein Spitzenmann: konnte einen vertikal stehenden Kessel heizen. Dort war er, tief unter mir, und, ich schwörs euch, sein Anblick war so aufbauend wie der eines Hunds, der in Hosen und Federn auf den Hinterbeinen geht. Ein paar Monate Übung hatten bei diesem wirklich wundervollen Burschen ausgereicht. Er schielte mit einer erkennbaren Anstrengung, keine Angst zu zeigen, nach der Dampfdruck- und der Wasseranzeige – und er hatte zudem spitzgefeilte Zähne, der arme Kerl, und zu seltsamen Mustern geschorene Wolle auf seinem Schädel, und drei Ziernarben auf jeder seiner Wangen. Eigentlich hätte er dort am Ufer in die Hände klatschen und mit den Füßen stampfen müssen, statt dessen aber schuftete er hier, ein Knecht fremder Zauberkunst, voller Kenntnisse, die mit jedem Tag größer wurden. Er war nützlich, weil er etwas gelernt hatte; und was er gelernt hatte, war: sollte das Wasser in dem durchsichtigen Ding verschwinden, würde der böse Geist im Kessel zornig werden, weil er einen furchtbaren Durst bekam, und sich schrecklich rächen. Also schwitzte und heizte er, und beobachtete angstvoll das Glas (mit einem improvisierten Talisman aus Lumpen am Arm, und einem Stück eines zugespitzten Knochens, das ihm mit der stumpfen Seite nach unten in der Unterlippe steckte), während die waldigen Ufer langsam an uns vorbeiglitten, der jähe Lärm, die unendlichen Kilometer der Stille hinter uns blieben – und wir weiterkrochen, Kurtz entgegen. Aber die Baumstämme blieben riesig, das Wasser war heimtückisch und seicht, der Kessel schien tatsächlich einen schlechtgelaunten Teufel in sich zu haben, und folglich hatten weder jener Heizer noch ich Zeit, in unsern schauervollen Gedanken zu baden.«

»Etwa achtzig Kilometer unterhalb der Innern Station stießen wir auf eine Schilfhütte, eine schiefe und melancholische Stange, an der unerkennbare Fetzen von etwas hingen, was einmal eine Fahne gewesen sein mußte, und einen sauber aufgeschichteten Holzstoß. Das war unerwartet. Wir legten an, und fanden auf dem Feuerholzstapel ein Brett mit einer verblaßten Inschrift. Wir entzifferten sie, und sie sagte: ›Holz für Sie. Kommen Sie schnell. Nähern Sie sich vorsichtig.‹ Das hatten wir nicht getan. Aber die Warnung konnte nicht für den Ort gemeint sein, an dem sie erst gefunden werden konnte, wenn wir schon da waren. Irgendwas stimmte weiter oben nicht. Aber was und wie vieles? Das war die Frage. Wir kommentierten diesen Telegrammstil ziemlich sauer. Die Büsche ringsum sagten uns nichts und ließen uns auch nicht sehr weit blicken. Ein zerrissener Vorhang aus rotem Köper hing in der Hüttentür und schlug uns traurig in die Gesichter. Der Raum war leer; aber wir konnten sehen, daß noch vor kurzem ein Weißer hier gelebt hatte. Ein plumper Tisch war noch da – ein Brett auf zwei Pfosten; ein Abfallhaufen lag in einer dunklen Ecke, und neben der Tür fand ich ein Buch. Es hatte keinen Deckel mehr, und die Seiten waren vom vielen Umblättern schmutzig und schlaff geworden; aber der Rücken war liebevoll mit weißen Baumwollfäden zusammengenäht worden, die noch recht sauber aussahen. Es war ein außerordentlicher Fund. Sein Titel lautete *Einführung in die Grundlagen der Seemannskunst,* und der Autor hieß Tower, Towson – irgend so ein Name –, Kapitän der Marine Seiner Majestät. Das Ganze sah nach einer recht drögen Lektüre aus, mit gezeichneten Diagrammen und abschreckenden Tabellen, und das Buch war sechzig Jahre alt. Ich behandelte diese fabulöse Antiquität mit der größtmöglichen Zartheit, damit sie nicht in meinen Händen zu Staub zerfiel. Towson oder Towser erörterte mit hohem Ernst die Reißfestigkeit von Schiffsketten und Tauen und solches Zeug. Kein sehr aufregendes Buch; aber schon auf den ersten Blick konnte man ein klares Ziel erkennen, ein aufrichtiges Interesse am richtigen Weg, eine Arbeit anzupacken, das diese bescheidenen, vor so vielen Jahren geschriebenen Seiten in einem andern als einem bloß professionellen Licht aufleuchten ließ. Der einfache alte Seemann, der da von Ketten und Flaschenzügen sprach, ließ mich den Dschungel und die Pilger vergessen, und ich hatte plötzlich das Gefühl, auf etwas unzweifelhaft Wirkliches gestoßen zu sein. Daß so ein Buch gerade hier lag, war wunderbar genug; noch verblüffender aber waren die Notizen, die an die Ränder gekritzelt waren und die sich offenkundig auf den Text bezogen. Ich traute meinen Augen nicht! Sie waren in einer Geheimschrift geschrieben! Ja, sie sahen wie eine Geheimschrift aus. Stellt euch einen Mann vor, der solch ein Buch in dieses Niemandsland mitschleppt und es liest und sich Notizen macht – in einer Geheimschrift! Es war ein ganz außerordentliches Rätsel.«

»Ich war mir undeutlich eines störenden Lärms bewußt geworden, der schon seit einiger Zeit anhielt, und sah, als ich die Augen hob, daß der Holzhaufen verschwunden war und daß der Direktor, unterstützt von allen Pilgern, am Ufer stand und nach mir rief. Ich steckte das Buch in die Tasche. Ich versichere euch, mit dem Lesen aufzuhören, das war, als risse ich mich aus den Armen eines alten und treuen Freunds los.«

»Ich warf die lahme Maschine erneut an. ›Das

muß dieser elende Händler sein – dieser Schmarotzer‹, rief der Direktor und sah böse nach dem Ort zurück, den wir verlassen hatten. ›Er kann nur ein Engländer sein‹, sagte ich. ›Das wird ihn nicht davor bewahren, Schwierigkeiten zu kriegen, wenn er nicht aufpaßt‹, brummte der Direktor finster. Ich merkte mit gespielter Unschuld an, kein Mensch hienieden sei vor Unannehmlichkeiten sicher.«

»Die Strömung war jetzt schneller, der Dampfer schien aus dem letzten Loch zu pfeifen, das Heckrad platschte träge, und ich ertappte mich dabei, daß ich zitternd und zagend nach dem nächsten Schlag horchte, denn in Tat und Wahrheit erwartete ich jeden Augenblick, daß dieses armselige Ding den Geist aufgab. Es war, als sähe man dem letzten Flackern eines verlöschenden Lebens zu. Aber noch krochen wir vorwärts. Manchmal merkte ich mir einen weiter vorne stehenden Baum, um auszurechnen, wie schnell wir Kurtz näher kamen, verlor ihn aber stets aus den Augen, bevor wir auf seiner Höhe waren. Die Augen so lange auf *eine* Sache zu richten war zu viel für die Geduld eines einzelnen Menschen. Der Direktor legte eine wunderschöne Resignation an den Tag. Ich kochte und dampfte und diskutierte mit mir selber, ob ich mit Kurtz offen reden sollte oder nicht; bevor ich aber zu einer Lösung kam, wurde mir klar, daß es völlig egal war, ob ich schwieg, ob ich sprach, ja ob ich überhaupt etwas tat. Welche Rolle spielte es, was einer wußte oder nicht wußte? Welche Rolle spielte es, wer Direktor war? Man hat zuweilen solch blitzschnelle Einsichten. Das Wesentliche dieser Geschichte lag tief unter der Oberfläche verborgen, für mich unerreichbar und meinem Einfluß entzogen.«

»Gegen Abend des zweiten Tags kamen wir zum Schluß, daß wir noch etwa dreizehn Kilometer von Kurtz' Station entfernt waren. Ich wollte weiterfahren; aber der Direktor machte ein ernstes Gesicht und erklärte mir, die Schiffahrt sei dort oben so gefährlich, daß es, da die Sonne schon sehr tief stehe, ratsam sei, bis zum nächsten Morgen da zu warten, wo wir seien. Zudem wies er darauf hin, daß wir uns bei Tageslicht nähern mußten, wenn wir die Warnung, es vorsichtig zu tun, ernst nehmen wollten – nicht in der Abenddämmerung oder im Dunkeln. Das klang vernünftig. Dreizehn Kilometer bedeuteten beinah drei Stunden Fahrt für uns, und ich konnte zudem weiter oben im Fluß verdächtige Wellen sehen. Trotzdem war ich über alle Maßen irritiert wegen dieser Verzögerung, äußerst unvernünftigerweise durchaus, weil eine Nacht mehr oder weniger nach so vielen Monaten keine Rolle spielen konnte. Da wir jede Menge Holz hatten und Vorsicht die Devise war, warf ich den Anker in der

Mitte des Flusses. Er war schmal, gerade, mit hohen Uferdämmen, wie bei einer Eisenbahn. Die Dämmerung senkte sich in diese Rinne, lange bevor die Sonne untergegangen war. Die Strömung war glatt und schnell, aber über den Ufern lastete eine dumpfe Reglosigkeit. Die lebensvollen Bäume, die durch die Schlinggewächse miteinander verknüpft waren, und jeder lebendige Busch des Unterholzes sahen so aus, als seien sie zu Stein geworden, sogar die zartesten Zweige, die luftigsten Blätter. Sie schliefen nicht einfach – sie sahen unnatürlich aus, wie in Trance. Nicht das geringste Geräusch irgendeiner Art war zu hören. Wir sahen uns staunend um und hatten uns im Verdacht, taub geworden zu sein – als jäh die Nacht auf uns herabstürzte und uns auch noch erblinden ließ. Etwa um drei Uhr früh sprang irgendein großer Fisch aus dem Wasser, und sein lautes Geplatsche ließ mich hochfahren, als sei ein Kanonenschuß abgefeuert worden. Als die Sonne aufging, lag überall ein weißer Nebel, sehr warm und feucht und noch blinder machend als die Nacht. Er rührte sich nicht, verschob sich nicht; war einfach da und umhüllte uns, als sei er etwas Festes. Um acht oder neun hob er sich, so wie sich ein Rollladen hebt. Wir warfen einen Blick auf die vielen turmhohen Bäume, auf den riesigen wuchernden Urwald, über dem der kleine glühende Sonnenball hing – alles vollkommen ruhig –, und dann senkte sich der weiße Rolladen wieder, sanft, als gleite er in gut geschmierten Schienen. Ich gab den Befehl, die Kette, die wir gerade zu hieven begonnen hatten, wieder auszufahren. Noch während sie dumpf nach unten rasselte, stieg ein Schrei, ein sehr lauter Schrei, ein unendlich verzweifelter, langsam in die undurchsichtige Luft hoch. Er verklang. Ein Klagelaut, in wilden Dissonanzen moduliert, füllte unsre Ohren. Er war so unerwartet, daß sich mir die Haare unter der Mütze sträubten. Ich weiß nicht, wie er die andern traf: mir kams so vor, als habe der Nebel selber geschrien, so plötzlich und scheinbar von allen Seiten gleichzeitig kommend war dieser wilde und jammervolle Aufruhr losgebrochen. Er gipfelte in einem gehetzten Ausbruch eines fast unerträglich schrillen Gekreischs, das jäh aufhörte und uns in den idiotischsten Stellungen erstarrt zurückließ, mit aller Kraft in die beinah ebenso entsetzliche und übergroße Stille hineinhorchend. ›Herrgott! Was mag das bedeuten –‹ stammelte einer der Pilger dicht neben mir – ein kleiner, fetter Mann mit strohblonden Haaren und einem Backenbart, der Stiefel mit Gummizügen und einen rosa Pyjama trug, den er unten in seine Socken gestopft hatte. Zwei andere kriegten den Mund eine geschlagene Minute lang nicht mehr zu, sausten dann in die kleine Kabine und sofort wieder heraus und standen, panisch um sich lugend, mit entsicherten Winchestern in den Händen da. Wir konnten nur gerade das Dampfboot, auf dem wir waren und dessen Umrisse verschwanden, als sei es dabei, sich aufzulösen, und einen dunstigen, etwa einen halben Meter breiten Wasserstreifen sehen – das war alles. Den Rest der Welt gab es nicht mehr, für unsre Augen und unsre Ohren. Einfach weg. Fort, verschwunden; auf und davon, ohne ein Flüstern oder einen Schatten zu hinterlassen.«

»Ich ging nach vorn und befahl, die Kette durchzusetzen, um, wenn nötig, den Anker sofort einholen und das Dampfschiff in Fahrt bringen zu können. ›Werden sie angreifen?‹ wisperte eine verängstigte Stimme. ›In dem Nebel werden wir alle abgeschlachtet‹, murmelte eine andere. Die Gesichter waren durch die Anspannung verzerrt, die Hände zitterten leise, die Augen vergaßen zu zwinkern. Es war sehr seltsam zu sehen, wie verschieden die Gesichter der Weißen und der schwarzen Burschen unsrer Besatzung aussahen, die in diesem Teil des Flusses genauso fremd wie wir waren, obwohl ihre Häuser nur tausenddreihundert Kilometer weit weg standen. Die Mienen der Weißen, die natürlich überaus beunruhigt waren, schienen seltsamerweise dennoch anzudeuten, sie seien durch einen so maßlosen Lärm überaus schmerzlich berührt. Die andern wirkten aufmerksam und, klarerweise, interessiert; aber ihre Gesichter waren alles in allem ruhig, sogar die des einen oder der zwei, die grinsend die Ankerkette hievten. Ein paar wechselten kurze, gegrunzte Sätze, die alle Probleme befriedigend zu lösen schienen. Ihr Häuptling, ein junger Schwarzer mit einer mächtigen Brust, der in ein strenges, mit dunkelblauen Fransen verziertes Gewand gehüllt war, leidenschaftlich durch die Nasenlöcher schnaubte und seine Haare kunstvoll zu öligen Löckchen gerollt hatte, stand ganz in meiner Nähe. ›Also so was!‹ sagte ich, nur so aus Freundlichkeit. ›Fang sie‹, keuchte er mit blutunterlaufenen, weit aufgerissenen Augen und blitzenden Zähnen – ›fang sie. Gib sie uns.‹ ›Euch, ja?‹ fragte ich. ›Was wollt ihr mit ihnen anfangen?‹ ›Essen!‹ sagte er kurz angebunden und sah würdig, zutiefst nachdenklich in den Nebel hinaus, die Ellbogen auf der Reling. Gewiß wäre ich wahrhaft entsetzt gewesen, wäre mir nicht eingefallen, daß er und seine Freunde wohl sehr hungrig waren; daß sie seit mindestens einem Monat ständig hungriger geworden sein mußten. Sie waren für sechs Monate angeheuert worden (ich glaube nicht, daß auch nur ein einziger eine deutliche Vorstellung von Zeit hatte, so wie wir das am Ende unzähliger Jahrhunderte haben. Sie gehörten immer noch zum

Anfang der Zeit – hatten keine vererbte Erfahrung, die sie etwas hätte lehren können), und natürlich machte sich kein Mensch auch nur die leisesten Gedanken darüber, wovon sie leben sollten, solange es ein Stück Papier gab, das in Übereinstimmung mit irgendeinem lachhaften Gesetz ausgefertigt worden war, weit unten am Fluß. Selbstverständlich hatten sie ein bißchen verrottendes Flußpferdfleisch mitgebracht, das auch dann nicht sehr lange gereicht hätte, wenn die Pilger nicht, mit einem beschämenden Hurragebrüll, einen großen Teil davon über Bord geworfen hätten. Es sah wie ein Willkürakt aus; aber es war tatsächlich ein Fall von legitimer Selbstverteidigung. Man kann totes Flußpferd nicht einatmen, während man wacht, schläft und ißt, und gleichzeitig die eh wackelige Kontrolle über das eigene Dasein behalten. Übrigens hatten sie ihnen jede Woche drei Stück Messingdraht gegeben, jedes etwa zwanzig Zentimeter lang; und die Theorie war, daß sie sich mit dieser Währung ihre Vorräte in den Dörfern am Ufer kaufen sollten. Ihr seht ja, wie *das* klappte. Entweder gabs keine Dörfer, oder die Bewohner waren feindselig, oder der Direktor, der wie wir Konserven aß und hie und da ein Stück alten Ziegenbock, wollte das Dampfschiff nicht aus mehr oder weniger undurchsichtigen Gründen anhalten lassen. Falls sie also nicht den Draht selber fraßen oder Schlingen bastelten, um Fische zu fangen, bleibt mir schleierhaft, wofür sie ihr tolles Gehalt verwenden konnten. Ich muß sagen, es wurde ihnen mit einer Pünktlichkeit ausbezahlt, die einer großen und ehrenwerten Handelsgesellschaft würdig war. Sonst war das einzige Eßbare – obwohl es nicht im geringsten so aussah –, das ich in ihrem Besitz sah, ein paar Klumpen von etwas, was wie halbroher Teig aussah, eine schmutzige Lavendelfarbe hatte und in Blätter eingepackt war. Davon schluckten sie hie und da ein Stück, ein so kleines, daß sie es wohl eher taten, um den Schein zu wahren als um sich wirklich zu ernähren. Wieso sie sich, im Namen aller nagenden Hungerteufel, nicht über uns hergemacht – sie waren dreißig, wir fünf – und sich den Bauch einmal so richtig vollgeschlagen hatten, wundert mich heute noch, wenn ich daran denke. Sie waren große, kräftige Männer, die nicht besonders fähig schienen, die Folgen ihrer Handlungen einzuschätzen, sogar jetzt noch mutig und stark, wo ihre Haut nicht mehr glatt und kein Muskel mehr hart war. Und ich sah, daß irgendeine Hemmung, eines jener Menschengeheimnisse, die den Gesetzen der Wahrscheinlichkeit spotten, mit im Spiel war. Ich schaute sie mir mit einem ganz neuen Interesse an – nicht weil mir klargeworden war, daß ich sehr bald von ihnen verspeist werden konnte, wobei ich euch gestehen muß, daß mir erst jetzt – in dem neuen Licht, das nun leuchtete – bewußt wurde, wie widerwärtig die Pilger aussahen, und ich hoffte, ja, ich hoffte wirklich, mein Anblick sei nicht so – wie soll ich mich ausdrücken – unappetitlich: ein Anflug phantastischer Eitelkeit, der gut zu dem Traumgefühl paßte, das damals alle meine Tage prägte. Vielleicht hatte ich auch ein bißchen Fieber. Man kann nicht ununterbrochen den Finger am Puls haben. Ich hatte oft ›ein bißchen Fieber‹ oder einen Hauch von irgendwas anderem – die spielerischen Prankenhiebe der Wildnis, die ersten Tändeleien vor dem ernsthafteren Schlag, der dann, als es dafür Zeit war, auch kam. Ja; ich sah sie mir so an, wie ihr es mit jedem menschlichen Wesen tun würdet, neugierig auf ihre Triebe, Motive, Fähigkeiten, Schwächen, wenn sie dem Test einer unerforschlichen physischen Notwendigkeit unterworfen werden. Eine Hemmung! Was für eine Hemmung sollte das sein? War es Aberglaube, Abscheu, Geduld, Angst – oder so etwas wie primitive Ehre? Keine Angst kann dem Hunger lange Widerstand leisten, keine Geduld ihn aushalten, Abscheu gibts einfach nicht da, wo Hunger herrscht; und was den Aberglauben, den Glauben und das betrifft, was ihr Grundsätze nennen mögt, so sind diese weniger als Spreu in einem Windstoß. Wißt ihr nicht, wie teuflisch ein lange anhaltendes Fasten ist, wie es einen quält und reizt, welch schwarze Gedanken es auslöst, wie wild, düster und unheilvoll es ist? Nun, ich weiß es. Es raubt einem alle angeborene Kraft, den Hunger mit Anstand zu bekämpfen. Es ist wirklich einfacher, den Tod eines Angehörigen, Schande und den Verlust der Seele zu ertragen – als diese Art anhaltenden Hungers. Traurig, aber wahr. Und diese Kerle hatten zudem keinen denkbaren Grund zu irgendwelchen Skrupeln. Eine Hemmung! Genauso hätte ich von einer Hyäne Hemmungen erwarten können, die zwischen den Leichen eines Schlachtfelds herumstreunt. Und dennoch war ich mit genau dieser Tatsache konfrontiert – einer Tatsache, die mir so verwirrend wie der Schaum über den Tiefen des Meers erschien, wie die Oberflächenspuren eines unauslotbaren Rätsels, ein Geheimnis, das mir – wenn ich es recht bedachte – größer als der seltsame, unerklärliche Klang verzweifelter Trauer in dem wilden Aufruhr vorkam, der am Ufer drüben an uns vorbeigeweht war, hinter dem undurchdringlichen Weiß des Nebels.«

»Zwei Pilger stritten sich erregt flüsternd, welches Ufer es gewesen sei. ›Links.‹ ›Nein, nein; wo denken Sie hin? Rechts, rechts natürlich.‹ ›Das ist sehr ernst‹, sagte die Stimme des Direktors hinter mir. ›Ich wäre untröstlich, sollte Herrn Kurtz etwas zustoßen, bevor wir bei ihm sind.‹ Ich sah ihn an und hatte nicht den geringsten Zweifel, daß er ehrlich war. Er war halt einer von denen, die den Schein wahren wollen. Das war seine Hemmung. Als er aber vor sich hin brummelte, wir müßten sofort losfahren, oder so was, machte ich mir nicht einmal die Mühe, ihm zu antworten. Ich wußte, und er wußte, daß das unmöglich war. Wenn wir unsern Halt im Flußboden losgelassen hätten, wären wir in der Luft geschwebt – im All. Wir hätten nicht sagen können, wohin wir fuhren – ob den Strom hinauf oder hinunter, oder quer zu ihm –, bis wir gegen das eine oder andre Ufer geschrammt wären – und dann hätten wir noch lange nicht gewußt, gegen welches. Natürlich tat ich keinen Wank. Mir lag nichts an einer Havarie. Man hätte sich keinen tödlicheren Ort für einen Schiffbruch denken können. Auch wenn wir nicht gleich ertranken, konnten wir sicher sein, sehr rasch zu sterben, auf die eine oder andere Weise. ›Ich autorisiere Sie, alle Risiken auf sich zu nehmen‹, sagte er nach einem kurzen Schweigen. ›Ich werde überhaupt keins eingehen‹, sagte ich kurz angebunden; was genau die Antwort war, die er erwartet hatte, obwohl ihn ihr Ton vielleicht erstaunte. ›Nun, ich muß Ihre Entscheidung respektieren. Sie sind der Kapitän‹, sagte er betont höflich. Ich wandte ihm den Rücken zu, um ihm meine

Hochachtung zu zeigen, und sah in den Nebel. Wie lange würde das dauern? Es war ein völlig hoffnungsloser Ausblick. Der Weg zu diesem Kurtz, der in dem trostlosen Busch nach Elfenbein suchte, war so voller Gefahren, als sei er eine verzauberte Prinzessin, die in einem Märchenschloß schlief. ›Werden sie angreifen, was meinen Sie?‹ fragte der Direktor leise.«

»Ich glaubte nicht, daß sie angreifen würden, aus verschiedenen naheliegenden Gründen. Einer davon war der dichte Nebel. Falls sie das Ufer in ihren Kanus verließen, würden sie sich genau so wie wir darin verirren, wenn wir uns zu rühren versuchten. Andrerseits hatte ich den Urwald auf beiden Ufern für ziemlich undurchdringlich gehalten – und doch waren Augen in ihm, Augen, die uns gesehen hatten. Die Büsche am Ufer waren sicher sehr dicht; aber das Unterholz dahinter war offenkundig durchlässig. Als sich allerdings der Nebel für einen kurzen Augenblick gehoben hatte, hatte ich nirgends auf dem Fluß Kanus gesehen – sicher nicht auf der Höhe des Dampfboots. Aber was einen Angriff für mich ganz undenkbar machte, war die Natur des Geräuschs – der Schreie, die wir gehört hatten. Sie waren nicht wütend, wie wenn uns nun gleich jemand angreifen wollte. So unerwartet, wild und heftig sie auch gewesen waren, so hörte ich doch unabweisbar so etwas wie Kummer aus ihnen heraus. Der Anblick des Dampfboots hatte diese Wilden aus irgendeinem Grund mit grenzenlosem Leid erfüllt. Die Gefahr, wenns denn eine gab – so führte ich aus –, liege in unsrer Nähe zu einer großen menschlichen Leidenschaft, die zum Ausbruch gekommen sei. Sogar tiefster Schmerz könne sich letzten Endes durch Gewalt Luft machen – nehme aber in der Regel eher die Form der Apathie an…«

»Ihr hättet die Pilger sehen sollen, wie sie glotzten! Sie trauten sich nicht zu grinsen, oder gar mich auszulachen: aber ich glaube, sie dachten, ich sei verrückt geworden – vor Angst wohl. Ich hielt ihnen einen regelrechten Vortrag. Meine Lieben, hätte ich mich aufregen sollen? Weiterhin gut aufpassen? Nun, ihr könnt Gift drauf nehmen, daß ich den Nebel – ob er sich heben wollte – beobachtete wie eine Katze die Maus; aber sonst nützten uns unsre Augen so viel, wie wenn wir kilometertief unter einem Baumwollhaufen begraben gewesen wären. So fühlte er sich auch an – erstickend, warm, würgend. Im übrigen entsprach alles, was ich sagte, vollkommen den Tatsachen. Was wir dann später einen Angriff nannten, war in Wirklichkeit der Versuch gewesen, uns zu verscheuchen. Die Aktion war alles andere als aggressiv – sie war nicht mal defensiv, im normalen Sinn des Worts: sie war unter dem Druck der Verzweiflung unternommen worden und hatte nur ein Ziel: die Angreifenden zu schützen.«

»Sie begann, würde ich sagen, zwei Stunden nachdem sich der Nebel gehoben hatte, und zwar an einem Ort, der, grob geschätzt, zwei Kilometer unterhalb der Station von Kurtz lag. Wir hatten uns eben um eine Biegung gequält und gezittert, als ich eine kleine Insel sah, einen leuchtendgrünen Grashaufen eigentlich eher, in der Mitte des Flusses. Sonst gabs nichts dergleichen; aber als wir näher kamen, sah ich, daß sie der Beginn einer langen Sandbank war, oder eher einer Kette aus flachen Flecken, die sich in der Mitte des Stroms aneinanderreihten. Sie waren farblos, lagen dicht unter der Wasseroberfläche, und das Ganze sah genau wie das Rückgrat eines Manns aus, das in der Mitte des Rückens unter der Haut abwärts läuft. Soweit ich das sah, konnte ich rechts oder links daran vorbeifahren. Natürlich kannte ich weder die eine noch die andere Rinne. Die Ufer sahen völlig gleich aus, die Wassertiefe schien dieselbe; aber da man mir gesagt hatte, die Station sei auf dem westlichen Ufer, steuerte ich natürlich die westliche Durchfahrt an.«

»Kaum waren wir drin, erkannte ich, daß sie viel schmaler war, als ich es vermutet hatte. Links von uns waren die langgestreckten, lückenlosen Untiefen, und rechts ein hohes, steiles Ufer, das mit Büschen zugewuchert war. Über den Büschen standen die Bäume Stamm an Stamm. Die Zweige hingen wild und wirr über der Strömung, und immer wieder ragte ein kräftiger Baumast weit auf den Fluß hinaus. Es war schon später Nachmittag, das Gesicht des Walds war düster, und ein breiter Schattenstreifen war bereits auf das Wasser gefallen. In diesem Schatten dampften wir vorwärts – sehr langsam, wie ihr euch denken könnt. Ich hielt mich nahe am Ufer – weil dort das Wasser, wie mir das Lot sagte, am tiefsten war.«

»Einer meiner hungrigen und langmütigen Freunde lotete im Bug, dicht unter mir. Dieses Dampfschiff glich aufs Haar einem flachen Fährboot, das man mit Deckaufbauten versehen hatte. Auf Deck gabs zwei Häuschen aus Teakholz, mit Türen und Fenstern. Der Kessel war vorn und die Maschine achtern. Über dem Ganzen war ein leichtes Dach, das auf Pfosten ruhte. Der Schornstein ragte durch dieses Dach hindurch, und vor dem Schornstein diente eine kleine Hütte, die aus Brettern zusammengezimmert war, als Ruderhaus. Es enthielt eine Couch, zwei Feldsessel, eine geladene Martini-Henry, die in einer Ecke lehnte, einen winzigkleinen Tisch und das Steuerrad. Es hatte vorn eine breite Tür und auf jeder Seite eine große Luke.

Sie standen stets weit offen, klar. Ich verbrachte meine Tage dort oben vor der Tür, am äußersten Ende dieses Dachs sitzend. Nachts schlief ich auf der Couch, oder ich versuchte es. Ein athletischer Schwarzer, der irgendeinem Küstenstamm angehörte und der von meinem armen Vorgänger angelernt worden war, war der Steuermann. Er trug Ohrringe aus Messing, war in ein blaues Tuch aus Leinwand gewickelt, das ihm von der Taille bis zu den Knöcheln reichte, und hielt sich für wunder weiß wen. Er war der unzuverlässigste Irre, der mir jemals untergekommen war. Er steuerte wie ein Held, solange ich in der Nähe war; wenn er mich aber aus den Augen verlor, wurde er auf der Stelle die Beute einer schrecklichen Angst und verlor innerhalb einer Minute die Kontrolle über dieses Krüppelboot.«

»Ich blickte gerade zum Lotstock hinunter und ärgerte mich darüber, daß bei jeder Messung ein bißchen mehr davon aus dem Fluß ragte, als ich sah, daß mein Lotmann mit seiner Arbeit jäh aufhörte und sich flach auf das Deck legte, ohne sich die Mühe zu machen, sein Lot hochzuziehen. Immerhin hielt er es fest und schleifte es im Wasser mit. Gleichzeitig setzte sich der Heizer, den ich ebenfalls unter mir sehen konnte, abrupt vor seinem Ofen hin und zog den Kopf ein. Ich war von den Socken.

Dann mußte ich sehr rasch auf den Fluß schauen, denn da lag ein dicker Baumstamm in der Fahrrinne. Stöcke, kleine Stöckchen flogen herum – viele: sie schwirrten vor meiner Nase vorbei, fielen vor mir zu Boden, prallten hinter mir gegen mein Ruderhaus. Die ganze Zeit über waren der Fluß, das Ufer, die Wälder sehr still – vollkommen still. Ich konnte nur das mächtige Klatschen des Heckrads hören und das Geprassel dieser Dinger. Wir kamen mit Mühe und Not am Baumstamm vorbei. Pfeile, mein Gott! Jemand schoß auf uns! Ich ging schnell in die Kabine, um die Luke auf der Uferseite zu schließen. Dieser spinnige Steuermann hob, während er mit den Händen die Speichen des Steuerrads hielt, seine Knie in die Höhe, stampfte mit den Füßen, malmte mit seinen Kiefern, als sei er ein Pferd, das man zügelte. Von mir aus! Und wir taumelten keine drei Meter vom Ufer entfernt dahin. Ich mußte mich weit hinauslehnen, um den schweren Fensterladen zu mir zu ziehen, und sah in den Blättern, auf meiner Höhe, ein Gesicht, das mich wildwütend und starr ansah, und dann plötzlich, als sei ein Schleier von meinen Augen gezogen worden, machte ich, tief in der düsteren Blätterwildnis, nackte Brüste, Arme, Beine, leuchtende Augen aus – das Dickicht wimmelte von Menschengliedern, die sich bewegten, die bronzefarben glänzten. Die

Zweige zitterten, schwankten und raschelten, die Pfeile flogen aus ihnen heraus, und dann war der Laden zu. ›Halt das Schiff auf Kurs‹, sagte ich zum Steuermann. Er hielt den Kopf kerzengerade und sah starr nach vorn; aber seine Augen rollten, er hob und senkte weiterhin brav seine Füße, sein Mund geiferte ein bißchen. ›Hör auf damit!‹ sagte ich wütend. Genausogut hätte ich einem Baum verbieten können, im Wind zu schwanken. Ich stürzte hinaus. Unter mir auf dem Eisendeck trampelten viele Füße; Stimmen riefen durcheinander; eine schrie: ›Können Sie umkehren?‹ Ich erblickte ein V-förmiges Gekräusel weiter vorn im Wasser. Was? Noch ein Baumstamm! Unter meinen Füßen ging eine Schießerei los. Die Pilger hatten mit ihren Winchesters das Feuer eröffnet und spritzten ein bißchen Blei in den Wald hinein. Ganz schön viel Rauch stieg in die Höhe und verzog sich langsam flußaufwärts. Ich fluchte. Nun konnte ich weder das gekräuselte Wasser noch den Baumstamm sehen. Ich stand unter der Tür, guckte, und die Pfeile flogen in Schwärmen. Vielleicht waren sie vergiftet, aber sie sahen so aus, als könnten sie nicht mal eine Katze umbringen. Der Wald begann zu heulen. Unsre Holzfäller stimmten ein regelrechtes Kriegsgeschrei an; das Krachen eines Gewehrs direkt hinter mir machte mich taub. Ich sah über die Schulter, und das Ruderhaus war immer noch voller Lärm und Rauch, als ich auch schon ans Steuerrad stürzte. Der Negeridiot hatte alles stehen- und liegenlassen, die Luke aufgestoßen und jene Martini-Henry abgefeuert. Er stand an dem weit offenen Fenster, blickte wild in die Gegend, und ich brüllte ihn an, zurückzukommen, während ich dem Schiff sein plötzliches Abdrehen wieder abgewöhnte. Es gab keinen Platz zum Wenden, selbst wenn ich das gewollt hätte, der Baumstamm war irgendwo sehr nahe in dem verfluchten Rauch vor uns, es blieb keine Zeit mehr übrig, und so steuerte ich auf das Ufer zu – direkt auf das Ufer zu, wo, das wußte ich, das Wasser tief war.«

»Wir schrammten langsam an den überhängenden Büschen entlang, in einem Gestöber aus zerbrochenen Zweigen und fliegenden Blättern. Die Schießerei unter mir hörte jäh auf, so wie ich das erwartet hatte, als die Kapselgewehre leer waren. Ich wich mit meinem Kopf einem glitzernden Zischen aus, das das Ruderhaus durchquerte, durchs eine Fenster herein und zum andern hinaus. Als ich an meinem irrsinnigen Steuermann vorbeiblickte – er schwenkte das leergeschossene Gewehr und brüllte das Ufer an –, sah ich undeutlich Menschen, die geduckt rannten, plötzlich lossprangen, dahinglitten, kaum zu sehen, halbwegs nur, wieder verschwanden. Etwas Großes tauchte in der Luft vor der Luke auf, das Gewehr ging über Bord, und der Mann trat schnell zurück, sah mich über die Schulter an, wie noch nie, tief, vertraut, und stürzte auf meine Füße. Seine Schläfe schlug zweimal gegen das Steuerrad, und das Ende von etwas, das wohl ein langes Bambusrohr war, drehte sich klappernd mit ihm und stieß einen kleinen Feldsessel um. Es sah so aus, als habe er das Gleichgewicht verloren, nachdem er, alle Kräfte aufbietend, das Ding jemandem am Ufer entrissen hatte. Der dünne Rauch war verflogen, wir waren am Baumstamm vorbei, und ich sah, daß ich weiter vorne, nach etwa hundert Metern, vom Ufer abdrehen konnte; meine Füße jedoch fühlten sich so warm und naß an, daß ich nach unten blicken mußte. Der Mann war auf den Rücken gerollt und starrte zu mir hoch; seine beiden Hände umklammerten das Bambusrohr. Es war ein Speerschaft, der durch die Luke gestoßen oder geworfen worden war und ihn auf der Seite dicht unter den Rippen getroffen hatte; die Spitze steckte unsichtbar in ihm drin, nachdem sie eine schreckerregende Wunde gerissen hatte; meine Schuhe waren vollgelaufen; eine Blutlache lag sehr still und dunkelrot leuchtend unter dem Steuerrad; seine Augen glänzten verblüffend hell. Die Schießerei ging wieder los. Er sah mich angstvoll an, umklammerte den Speer wie etwas Wertvolles, als fürchte er, ich könnte ihn ihm wegnehmen. Ich mußte mir einen Ruck geben, meine Augen von seinem Blick zu lösen und aufs Steuer zu achten. Mit einer Hand tastete ich über meinem Kopf nach der Leine des Dampfhorns und ließ sehr schnell ein Warnsignal nach dem andern ertönen. Der Tumult aus wütenden und kriegerischen Schreien hörte auf der Stelle auf, und dann kam aus den Tiefen des Walds ein zitternder und endloser Klageschrei, der so traurig und angstvoll und grenzenlos verzweifelt war, wie man ihn sich denken mag, wenn die letzte Hoffnung die Erde verläßt. Im Wald gabs einen heftigen Tumult; der Pfeilhagel hörte auf, ein paar laute Schüsse fielen noch – dann eine Stille, durch welche man die schlappen Schläge des Heckrads jäh und deutlich hörte. Ich steuerte kräftig nach steuerbord, und in diesem Augenblick erschien der Pilger mit dem rosa Pyjama sehr erhitzt und aufgewühlt unter der Tür. ›Der Direktor schickt mich –‹, fing er in einem offiziellen Ton an und hielt dann inne. ›Mein Gott!‹ sagte er und starrte den verwundeten Mann an.«

»Wir zwei Weißen standen über ihm, und sein leuchtender und fragender Blick nahm uns beide gefangen. Ich sage euch, er sah aus, als wolle er uns just jetzt eine Frage in einer unverständlichen Sprache stellen; aber er starb ohne einen Laut, ohne sich zu bewegen, ohne daß ein Muskel gezuckt hätte. Erst im allerletzten Augenblick, als antworte er einem Zeichen, das wir nicht erkennen konnten, einem Flüstern, das wir nicht hören konnten, runzelte er heftig die Stirn, und dieses Stirnrunzeln verlieh seiner schwarzen Totenmaske einen unvorstellbar ernsten, aufgewühlten und drohenden Ausdruck. Das Leuchten des fragenden Blicks verschwamm rasch und wurde leer und glasig. ›Können Sie steuern?‹ fragte ich den Agenten bitter. Er sah sehr zweifelnd drein; aber ich packte ihn am Arm, und er verstand plötzlich, daß ich ihn am Steuer haben wollte, ob ers nun konnte oder nicht. In Tat und Wahrheit wollte ich um jeden Preis meine Schuhe und Socken wechseln. ›Er ist tot‹, murmelte der Bursche unendlich beeindruckt. ›Kein Zweifel‹, sagte ich und zerrte wie blöd an den Schuhriemen herum. ›Und wenn wir schon davon reden, vermutlich ist Herr Kurtz jetzt genauso tot.‹«

»Im Augenblick war das der beherrschende Gedanke. Ich verspürte ein Gefühl äußerster Enttäuschung, so als hätte ich herausgefunden, daß ich etwas, was gänzlich körperlos war, gejagt hatte. Ich hätte mich nicht mehr ärgern können, wenn ich diese Riesenreise nur gemacht hätte, um mit Herrn Kurtz zu sprechen. Um mit Herrn Kurtz zu sprechen… Ich warf einen Schuh über Bord und wurde mir bewußt, daß ich genau das gewollt hatte – mit Kurtz sprechen. Ich machte die seltsame Entdeckung, daß ich ihn mir nie handelnd vorgestellt hatte, versteht ihr, sondern sprechend. Ich sagte zu mir nicht ›Jetzt werde ich ihn nie sehen‹ oder ›Jetzt werde ich ihm nie die Hand drücken‹, sondern ›Jetzt werde ich ihn nie hören‹. Der Mann war für mich eine Stimme. Natürlich brachte ich ihn auch mit der einen oder andern Handlung in Verbindung. Schließlich hatte man mir voller Neid und Bewunderung erzählt, daß er mehr Elfenbein als alle andern Agenten zusammen gesammelt, eingetauscht, erschwindelt oder gestohlen hatte. Darum ging es nicht. Es ging darum, daß er ein begabtes Wesen war und daß unter all seinen Begabungen eine deutlich hervorragte, ihn lebendig und faßbar machte: seine Begabung zu reden, für Wörter, seine Ausdrucksfähigkeit, ein verwirrender, ein erleuchtender, ein äußerst exaltierter und unwürdiger, ein pulsierender Lichtstrom, oder eine trügerische Flut aus dem Herzen einer undurchdringlichen Finsternis.«

»Der andere Schuh flog dem Teufelsgott dieses Flusses in die Arme. Ich dachte: Ach du Scheiße! Jetzt ist alles aus. Wir kommen zu spät; er hat sich in Luft aufgelöst – die Begabung hat sich in Luft aufgelöst, wegen irgend so einem Speer, einem Pfeil oder einer Keule. Ich werde den Burschen nun niemals sprechen hören – und mein Kummer wurde verwirrend groß, überschwemmend, so stark wie der, den ich aus dem Geheul dieser Wilden im Wald herausgehört hatte. Ich hätte mich nicht einsamer und trostloser fühlen können, wenn mir ein tiefer Glaube geraubt worden wäre oder ich mein Lebensziel verfehlt hätte... Warum seufzt du so gemein, wer immer du bist? Absurd? Von mir aus, absurd. Gott im Himmel! Muß ein Mensch nicht – na, wer gibt mir ein bißchen Tabak ab?«

Es wurde völlig still, dann flammte ein Streichholz auf, und Marlows hageres Gesicht wurde sichtbar, eingefallen, hohlwangig, mit Falten, die abwärts liefen, und gesenkten Augenlidern, mit einem Ausdruck konzentrierter Aufmerksamkeit; und während er heftig an seiner Pfeife sog, schien es aus der Nacht hervorzutreten und in ihr zu verschwinden, im regelmäßigen Rhythmus des Scheins der winzigen Flamme. Das Streichholz erlosch.

»Absurd!« rief er laut. »Was Schlimmeres kann man kaum sagen... Hier hockt ihr alle da, jeder wie eins jener ausgemusterten Schiffe, die man als Wohnboote verwendet, an zwei guten Adressen vertäut, mit einem Metzger um die eine, einem Polizisten um die andere Ecke, mit einem tadellosen Appetit und normaler Temperatur – hört ihr – normal jahrein jahraus. Und ihr sagt: Absurd! Absurd also – bitte sehr! Absurd! Liebe Leute, was kann man von einem Mann erwarten, der eben aus reiner Nervosität ein paar neue Schuhe über Bord geworfen hat! Jetzt, wo ich dran denke, verblüfft mich, daß ich nicht in Tränen ausbrach. Ich bin, alles in allem, stolz auf meine Seelenstärke. Ich war zutiefst verletzt, weil ich das unschätzbare Privileg verloren hatte, dem begabten Kurtz zuzuhören. Natürlich täuschte ich mich. Das Privileg wartete auf mich. Oh, ja, ich hörte mehr als genug. Und ich hatte auch recht. Eine Stimme. Er war kaum mehr als eine Stimme. Und ich hörte – ihn – sie – diese Stimme – andere Stimmen – alle waren kaum mehr als Stimmen – und die Erinnerung an diese Zeit selbst umhüllt mich, ungreifbar, wie ein sterbender Nachhall eines unendlichen Geplappers, dumm, schrecklich, unflätig, wild oder einfach nur armselig, ohne jeden Sinn. Stimmen, Stimmen – sogar das Mädchen selbst – ja –«

Er schwieg lange.

»Ich bannte das Gespenst seiner Begabung schließlich mit einer Lüge«, sagte er dann plötzlich. »Ein Mädchen! Ja? Habe ich von einem Mädchen gesprochen? Oh, sie hat damit nichts zu tun – rein gar nichts. Sie – die Frauen, meine ich – haben damit nichts zu tun – sie sollten damit nichts zu tun haben. Wir müssen ihnen helfen, in jener schönen eignen Welt zu bleiben, auf daß unsre nicht schlechter werde. Oh, sie durfte nichts damit zu tun haben. Ihr hättet hören sollen, wie der wiederauferstandene Körper von Herrn Kurtz ›Meine Braut‹ sagte. Ihr hättet sofort begriffen, wie radikal nichts sie damit zu tun hatte. Und die himmelragende Stirn von Herrn Kurtz! Man sagt ja, daß die Haare hie und da wieder nachwachsen, aber dieses – öh – Exemplar war eindrucksvoll kahl. Die Wildnis hatte ihm über den Kopf gestrichen, und, wumms, war er wie ein Ball – ein Ball aus Elfenbein; sie hatte ihn gestreichelt, und – zack! – war er verwelkt; sie hatte ihn genommen, geliebt, umarmt, war in seine Adern eingedrungen, hatte sein Fleisch verschlungen und seine Seele durch irgendwelche unvorstellbar teuflische Initiationszeremonien an die ihre gekettet. Er war ihr verhätschelter und verwöhnter Liebling. Elfenbein? Aber gewiß doch. Ganze Haufen, ganze Stapel. Die alte Lehmhütte platzte beinah. Man hätte meinen können, kein einziger Stoßzahn sei im ganzen Land übriggeblieben, weder über noch unter der Erde. ›Fast alles fossil‹, hatte der Direktor gesagt, abschätzig. Es war nicht fossiler, als ich es bin; aber man nennt es fossil, wenn es ausgegraben worden ist. Offenbar vergraben diese Neger die Zähne zuweilen – aber diesen Packen konnten sie wohl nicht tief genug vergraben, um den begabten

Herrn Kurtz vor seinem Schicksal zu bewahren. Wir füllten das Schiff damit und mußten einen ganzen Haufen auf Deck stapeln. So konnte er es sehen und genießen, solange er sehen konnte, denn er schätzte sein Lieblingsgut bis zuletzt. Ihr hättet ihn hören sollen, wie er ›Mein Elfenbein‹ sagte. Oh, ja, ich hörte ihn. ›Meine Braut, mein Elfenbein, meine Station, mein Fluß, mein –‹: alles gehörte ihm. Ich hielt den Atem an und wartete darauf, daß die Wildnis in ein gewaltiges Lachen ausbrach, das die Fixsterne an ihren Himmelsorten erbeben ließe. Alles gehörte ihm – aber das war ganz einfach Quatsch. Es ging darum, herauszufinden, zu was *er* gehörte, wie viele Mächte der Finsternis ihn für sich beanspruchten. Dieser Gedanke ließ einen erschauern. Es war unmöglich – es war auch für einen selber nicht gut –, sich das vorstellen zu wollen. Er hatte einen hohen Rang unter den Teufeln des Landes eingenommen – ich meine, ganz wirklich. Ihr könnt es nicht verstehen. Wie solltet ihr? – mit festen Pflastersteinen unter euren Füßen, von lieben Nachbarn umgeben, die jederzeit bereit sind, euch zuzujubeln oder über euch herzufallen, sorgsam zwischen dem Metzger und dem Polizisten hin- und herpendelnd, mit einem heiligen Schrekken vor einem Skandal und dem Galgen und dem Irrenhaus – wie solltet ihr euch vorstellen können, in welch besondere urzeitliche Gegenden von Fesseln freie Füße einen Mann tragen können, wenn dieser nur einsam genug ist – restlos einsam, und weit und breit kein Polizist –, wenn es nur still genug um ihn herum ist, so still, daß keine warnende Stimme eines freundlichen Nachbarn mehr zu hören ist, die ihm die öffentliche Meinung zuflüstert? Diese Kleinigkeiten machen alles so ganz anders. Wenn sie wegfallen, muß man auf die eigne angeborene Kraft zurückgreifen, auf das eigene Vermögen zur Aufrichtigkeit. Natürlich kann man so blöd sein, daß man es nicht mal schafft, in die Irre zu gehen – so dumpf, daß man nicht merkt, wenn einen die Mächte der Finsternis angreifen. Nie jedenfalls hat ein Trottel seine Seele dem Teufel verkauft: entweder ist der Trottel dafür zu vertrottelt oder der Teufel zu teuflisch – ich weiß nicht, was nun. Oder vielleicht ist einer ein so donnernd erhabenes Wesen, daß er taub und blind für alles ist, was nicht wie der Himmel aussieht und klingt. Dann ist die Erde für ihn nur ein Wartesaal – und ob es nun wünschenswert ist, so zu sein, oder nicht, wage ich hier nicht zu entscheiden. Aber die meisten von uns sind weder das eine noch das andre. Für uns ist die Erde der Ort, wo wir leben, wo wir mit dem fertig werden müssen, was wir sehen, hören und auch riechen – lieber Himmel!, wir müssen verfaultes Flußpferdfleisch einatmen können, ohne daran zu verrecken, sozusagen. Und hier, seht ihr denn nicht?, kommt eure eigne Stärke ins Spiel, das Vertrauen in die eigene Fähigkeit, unauffällige Löcher zu graben, um den ganzen Schrott darin zu verbuddeln – eure Kraft der Hingabe, nicht an euch selbst, sondern an eine obskure Aufgabe, die euch kaputtmacht. Und das ist schwierig genug. Versteht mich recht: ich versuche nicht zu entschuldigen oder auch nur zu erklären – ich versuche, mir selbst Klarheit zu verschaffen über – über – Herrn Kurtz – über den Schatten von Herrn Kurtz. Diese initiierte Geistererscheinung aus dem hintersten Nirgendwo beehrte mich mit bestürzenden Geständnissen, bevor sie sich gänzlich in Luft auflöste. Dies, weil sie Englisch mit mir sprechen konnte. Der ursprüngliche Kurtz war zum Teil in England erzogen worden, und seine Sympathien waren – wie er selbst es netterweise formulierte – auf der richtigen Seite. Seine Mutter war eine halbe Engländerin, sein Vater ein halber Franzose. Ganz Europa war daran beteiligt gewesen, Kurtz zustande zu bringen; und nach und nach erfuhr ich, daß ihn die *Internationale Gesellschaft für die Unterdrückung wilder Bräuche* – sehr passend – beauftragt hatte, einen Bericht zu schreiben, an dem sie ihre zukünftige Zielsetzung orientieren wollte. Und er hatte ihn tatsächlich geschrieben, ich habe ihn gesehen, ich habe ihn gelesen. Er war beredt, vor Beredsamkeit bebend, jedoch allzu überdreht, finde ich. Für siebzehn eng beschriebene Seiten hatte er Zeit gefunden! Aber das muß gewesen sein, bevor ihn seine – sagen wir – Nerven im Stich ließen und ihn soweit brachten, daß er den Vorsitz bei irgendwelchen mitternächtlichen Tänzen übernahm, die mit unbeschreibbaren Riten endeten, welche – wenn ich das, was ich ungern genug immer wieder hörte, richtig mitgekriegt habe – ihm selber galten, versteht ihr?, Herrn Kurtz persönlich. Aber es war ein prächtiges Stück Literatur. Allerdings wirkt, im Lichte dessen, was ich später erfuhr, der erste Absatz heute auf mich voll übler Vorbedeutung. Er begann mit dem Argument, daß wir Weißen angesichts der Höhe unsrer Entwicklung ›ihnen (den Wilden nämlich) notwendig als übernatürliche Wesen erscheinen müssen – daß wir ihnen mit der Machtfülle einer Gottheit entgegentreten‹ und so weiter und so weiter. ›Durch die einfache Ausübung unsres Willens können wir eine praktisch uneingeschränkte Macht zum Guten ausüben‹ etc. etc. Von da an hob er völlig ab und riß mich mit sich. Der Schluß seiner Ausführungen war großartig, wenn auch schwer zu behalten, versteht ihr. Ich hatte den Eindruck, einer exotischen Unermeßlichkeit zuzuhören, die von erhabener Güte beherrscht war. Ich drehte vor Begeisterung beinah durch. Das war die schrankenlose Macht der Beredsamkeit – der Worte – glühender, edler Worte. Es gab keine praktischen Hinweise, die den Zauberfluß der Sätze unterbrochen hätten – einzig eine Art Notiz unten auf der letzten Seite, die eindeutig viel später mit unsicherer Hand hingekritzelt worden war, könnte als eine Art methodischer Hinweis betrachtet werden. Sie war sehr einfach, und sie blendete einen – am Ende dieses Appells an alle uneigennützigen Gefühle – wie ein Blitz aus heiterem Himmel, grell und erschreckend: ›Schlagt diese Bestien alle tot!‹ Das Seltsame daran war, daß er dieses aufschlußreiche Postskriptum offenbar völlig vergessen hatte, weil er mich später, als er in einem gewissen Sinn wieder zu sich kam, immer wieder und flehentlich bat, gut auf ›mein Pamphlet‹ (so nannte er es) aufzupassen, denn er war sicher, es würde seine zukünftige Karriere günstig beeinflussen. Ich war über alle Dinge gut informiert und sollte im übrigen, wie es dann so kam, der Schutzengel seines Gedächtnisses werden. Ich habe genug getan, um mir das unbestreitbare Recht erworben zu haben, es auf den Abfallhaufen des Fortschritts zu werfen, zur ewigen Ruhe, falls ich Lust dazu verspüre, auf den vielen übrigen Müll und – bildlich gesprochen – all die Kadaver der Zivilisation. Aber andrerseits, seht ihr, habe ich keine Wahl. Er wird nicht vergessen werden. Was immer er war: gewöhnlich war er nicht. Er hatte die Macht, einfache Seelen so zu verzaubern oder zu erschrecken, daß sie einen wilden Hexentanz zu seinen Ehren tanzten; er konnte auch die kleinen Seelen der Pilger mit den bösesten Ahnungen erfüllen; er hatte zum mindesten einen ergebenen Freund, und er hatte eine Seele in dieser Welt erobert, die weder einfach noch von Selbstsucht angekränkelt war. Nein; ich kann ihn nicht vergessen, obwohl ich nicht zu versichern bereit bin, der Bursche sei wirklich das Leben wert gewesen, das wir verloren hatten, als wir ihn suchten. Ich vermißte meinen toten Steuermann fürchterlich – ich vermißte ihn schon, als sein Körper noch im Steuerhaus lag. Vielleicht findet ihr das äußerst seltsam, diese Trauer um einen Wilden, der nicht mehr als ein Sandkorn in einer schwarzen Sahara galt. Schon, aber seht ihr nicht, daß er etwas getan hatte, daß er gesteuert hatte?; monatelang hatte ich ihn in meinem Rücken gehabt – eine Hilfe – ein Instrument. Es war eine Art Partnerschaft. Er steuerte für mich – ich mußte auf ihn aufpassen, ich machte mir wegen seiner Ausfälle Sorgen, und so hatte sich ein zartes Band geknüpft, dessen ich mir erst bewußt wurde, als es plötzlich zerriß. Und die intime Tiefe jenes Blicks, mit dem er mich ansah, als er verletzt wurde, lebt bis heute in meinem Gedächtnis – als ob er eine ferne Verwandtschaft beanspruche, als ob er sie mir in einem unwiederbringlichen Augenblick bestätige.«

»Der arme Spinner! Wenn er nur jene Luke in Frieden gelassen hätte. Er war unbeherrscht, völlig unbeherrscht – genau wie Kurtz – ein im Winde schwankender Baum. Sobald ich ein Paar trockene Pantoffeln angezogen hatte, schleifte ich ihn hinaus, nachdem ich ihm zuvor den Speer aus seiner Seite gezogen hatte, was ich, ich muß es zugeben, mit fest geschlossenen Augen tat. Seine Füße hüpften nebeneinander über die niedere Türschwelle; seine Schultern waren gegen meine Brust gedrückt; ich umfaßte ihn verzweifelt von hinten. Oh! Er war schwer, furchtbar schwer; so schwer wie sonst niemand auf Erden, kommts mir vor. Dann, ohne viel Trara, kippte ich ihn über Bord. Die Strömung erfaßte ihn, als sei er ein Grasbüschel, und ich sah seinen Körper, wie er sich zweimal drehte, bevor ich ihn für immer aus den Augen verlor. Alle Pilger und der Direktor hatten sich inzwischen auf dem Deck versammelt, beim Ruderhaus unterm Sonnensegel, und schwatzten miteinander wie ein Schwarm aufgeregter Elstern; ich hörte ein entrüstetes Murmeln wegen meiner herzlosen Schnelligkeit. Wozu sie die Leiche weiter herumliegen lassen wollten, weiß ich nicht. Vielleicht wollten sie sie einbalsamieren. Aber ich hatte auch ein anderes Gemurmel gehört, ein sehr bedrohliches. Meine Freunde, die Holzfäller, waren mindestens so sauer, und aus einem viel triftigeren Grund – obwohl der Grund selbst, wie ich zugeben muß, völlig unannehmbar war. Oh, völlig! Ich hatte beschlossen, daß mein Steuermann, wenn ihn denn schon jemand fraß, den Fischen allein überlassen werden sollte. Er war, als er noch lebte, ein äußerst zweitklassiger Steuermann gewesen, aber jetzt, da er tot war, konnte er leicht zu einer erstklassigen Versuchung werden, und zum Anlaß erheblicher Schwierigkeiten. Im übrigen wollte ich möglichst schnell wieder ans Steuer, da sich der Mann im rosa Pyjama wie der letzte Depp aufführte.«

»Das tat ich, sobald die schlichte Bestattung vorüber war. Wir fuhren mit halber Kraft, hielten uns in der Mitte des Stroms, und ich hörte dem Gespräch rings um mich zu. Sie hatten Kurtz aufgegeben. Kurtz war tot, und die Station niedergebrannt – undsoweiter – undsoweiter. Der rothaarige Pilger geriet beinah aus dem Häuschen beim Gedanken, daß der arme Kurtz wenigstens angemessen gerächt worden war. ›Sagen Sie doch! Wir müssen ein prächtiges Schlachtfest mit ihnen veranstaltet haben! Hä? Was meinen Sie? Sagen Sie doch!‹ Er tanzte tatsächlich herum, der blutrünstige, geile Idiot. Dabei war er beinahe in Ohnmacht gefallen, als er den verwundeten Mann erblickt hatte! Ich konnte es nicht lassen und sagte: ›Sie haben jedenfalls prächtig viel Rauch gemacht.‹ Ich hatte gesehen – so wie die Buschspitzen geraschelt und gewackelt hatten –, daß ungefähr alle Schüsse zu hoch gegangen waren. Man kann nicht treffen, wenn man weder zielt noch aus der Schulter schießt; diese Kerle aber schossen aus der Hüfte, mit geschlossenen Augen. Der Rückzug, behauptete ich – und ich hatte recht –, sei durch das Heulen des Signalhorns bewirkt worden. Daraufhin vergaßen sie Kurtz und fielen mit entrüsteten Protesten über mich her.«

»Der Direktor stand neben dem Steuerrad und murmelte leise so etwas wie, daß es notwendig sei, auf jeden Fall noch vor Einbruch der Dunkelheit ein gutes Stück den Fluß hinunterzukommen, als ich in der Ferne eine Uferlichtung und die Umrisse irgendeines Gebäudes sah. ›Was ist das?‹ fragte ich. Er klatschte verwundert in die Hände. ›Die Station!‹ rief er. Ich hielt sofort darauf zu, immer noch mit halber Kraft fahrend.«

»Durch mein Fernglas sah ich einen steil abfallenden Hügel ganz ohne Unterholz, auf dem vereinzelte Bäume standen. Ein langes, baufälliges Gebäude auf der Anhöhe oben war halbwegs im hohen

Gras begraben; große schwarze Löcher gähnten in einem spitzen Dach; das Dickicht und der Wald bildeten den Hintergrund. Es gab keine Umgrenzung, keinen Zaun irgendwelcher Art; aber offenkundig hatte es einmal einen gegeben, denn in der Nähe des Hauses war ein Dutzend dünner Pfosten stehengeblieben, alle in einer Reihe, roh behauen, am obern Ende mit runden, geschnitzten Kugeln verziert. Die Querhölzer, oder was immer da gewesen war, waren verschwunden. Natürlich umgab der Wald das alles. Das Ufer war frei, und am Wasser unten sah ich einen Weißen mit einem Hut wie ein Wagenrad, der wild mit einem Arm fuchtelte. Als ich den Waldrand unten und oben prüfte, war ich beinahe sicher, Bewegungen sehen zu können – menschliche Gestalten, die hierhin und dorthin glitten. Ich dampfte vorsichtig vorbei, stoppte dann die Maschine und ließ uns zurücktreiben. Der Mann am Ufer begann zu rufen, wir sollten ein bißchen vorwärtsmachen. ›Wir sind angegriffen worden‹, schrie der Direktor. ›Ich weiß – ich weiß. Das ist schon in Ordnung‹, krähte der andere, bester Laune offensichtlich. ›Kommt nur. Alles in Ordnung. Was bin ich froh.‹«

»Er erinnerte mich an etwas, was ich einmal gesehen hatte – etwas Komisches, was ich irgendwann mal gesehen hatte. Während ich manövrierte, um anzulegen, fragte ich mich: ›An was erinnert mich der Bursche nur?‹ Plötzlich wußte ich es. Er sah wie ein Harlekin aus. Sein Anzug war vermutlich aus nur wenig gebleichter Leinwand geschneidert worden, war aber über und über mit Flicken übersät, leuchtenden Flicken, blauen, roten und gelben – Flicken auf dem Rücken, Flicken vorn, Flicken an den Ellbogen, auf den Knien; farbige Säume rings um seine Jacke, purpurne Aufschläge unten an seinen Hosen; und das Sonnenlicht ließ ihn äußerst heiter und zugleich wundersam ordentlich aussehen, weil wir erkennen konnten, wie schön die Flikken aufgenäht worden waren. Ein bartloses Jungengesicht, sehr zart, keine besonderen Merkmale, eine Nase, die sich schälte, ein Lächeln und eine umwölkte Stirn, die einander über dieses offene Gesichtchen jagten wie Sonne und Schatten über eine vom Wind gepeitschte Ebene. ›Passen Sie auf, Kapitän!‹ rief er, ›letzte Nacht ist ein Baumstamm hier hängengeblieben.‹ Was? Noch ein Baumstamm? Ich sags euch, ich fluchte schamlos. Beinahe hätte ich nun doch noch ein Loch in meinen Schrottkahn gerammt, zum Abschluß unserer reizenden Fahrt. Der Harlekin am Ufer hob sein Stupsnäschen zu mir hoch. ›Engländer?‹ rief er breit lächelnd. ›Sind *Sie* einer?‹ rief ich vom Ruder her. Das Lächeln verflog, und er schüttelte den Kopf, als gräme ihn meine Enttäuschung zutiefst. Dann begann er wieder zu strahlen. ›Macht auch nichts!‹ rief er mit neuem Mut. ›Kommen wir noch rechtzeitig?‹ fragte ich. ›Er ist dort oben‹, antwortete er, nickte den Hügel hinauf und wurde tief düster. Sein Gesicht war wie der Herbsthimmel, bald voller Wolken und im nächsten Augenblick wieder strahlend hell.«

»Als der Direktor – von den Pilgern, die alle bis zu den Zähnen bewaffnet waren, eskortiert – zum Haus gegangen war, kam dieser Bursche an Bord. ›Also das gefällt mir gar nicht, diese Eingeborenen dort im Busch‹, sagte ich. Er versicherte mir ernsthaft, alles sei in Ordnung. ›Sie sind einfache Leute‹, fügte er hinzu; ›trotzdem, ich bin froh, daß Sie gekommen sind. Ich hatte alle Hände voll zu tun, sie abzuwehren.‹ ›Aber Sie sagten, alles sei in Ordnung‹, rief ich. ›Oh, sie meinen es nicht böse‹, sagte er; und als ich ihn anstarrte, korrigierte er sich: ›Nicht eigentlich.‹ Dann lebhaft: ›Mein Gott, Ihr Ruderhaus muß mal gründlich gereinigt werden!‹ Im nächsten Atemzug riet er mir, genügend Dampf im Kessel zu behalten, um das Signalhorn losheulen lassen zu können, falls wir irgendwelche Schwierigkeiten hätten. ›Ein tüchtiger Hornstoß wird mehr als alle Ihre Gewehre bewirken. Sie sind einfache Leute‹, wiederholte er. Er plapperte in einem solchen Tempo weiter, daß er mich völlig überschwemmte. Er schien sehr viel Schweigen wettmachen zu müssen und gab auch lachend zu, genau so sei es. ›Sprechen Sie denn nicht mit Herrn Kurtz?‹ sagte ich. ›Mit diesem Mann spricht man nicht – man hört ihm zu‹, rief er in einer ernsthaften Begeisterung. ›Aber jetzt –‹ Er machte eine Armbewegung und versank jählings in den tiefsten Tiefen einer Verzweiflung. Aber gleich darauf hatte er wieder Oberwasser, ergriff meine Hände und schüttelte sie unaufhörlich, während er weiterplapperte: ›Seemannsbruder... Ehre... Vergnügen... Entzükken... mich vorstellen... Russe... Sohn eines Erzpriesters... im Bezirk Tambov... Was? Tabak! Englischer Tabak; der exzellente englische Tabak! Na, *das* ist brüderlich. Ob ich rauche? Wo gibts einen Seemann, der nicht raucht?‹«

»Die Pfeife ließ ihn ruhiger werden, und nach und nach reimte ich mir zusammen, daß er aus der Schule davongelaufen und auf einem russischen Schiff zur See gefahren war; von dem war er erneut weggelaufen; hatte dann für einige Zeit auf englischen Schiffen angeheuert; war inzwischen mit dem Erzpriester versöhnt. Darauf legte er besonderen Wert. ›Aber wenn man jung ist, muß man was sehen, sich Erfahrungen aussetzen, Ideen; sein Bewußtsein erweitern.‹ ›Hier!‹ unterbrach ich ihn. ›Das weiß man im voraus nie! Hier habe ich Herrn

Kurtz kennengelernt!‹ sagte er, feierlich wie ein Jugendlicher, und vorwurfsvoll. Ich hielt daraufhin den Mund. Es stellte sich heraus, daß er ein holländisches Handelsunternehmen an der Küste überredet hatte, ihm Vorräte und Waren zu überlassen, und daß er leichten Herzens und ahnungslos wie ein Baby, was ihm dort widerfahren könnte, ins Landesinnere aufgebrochen war. Er war diesem Fluß fast zwei Jahre lang entlanggewandert, von allem und jedem abgeschnitten. ›Ich bin nicht mehr so jung, wie ich aussehe. Ich bin fünfundzwanzig‹, sagte er. ›Zuerst hätte mich der alte Van Shuyten am liebsten zum Teufel gejagt‹, erzählte er mit offenkundigem Behagen. ›Aber ich ließ nicht locker und redete und redete, bis er zu befürchten begann, ich könnte seinem Lieblingshund ein Hinterbein wegreden, und so gab er mir ein paar billige Sachen und einige Gewehre und sagte, er hoffe, mein Gesicht nie mehr sehen zu müssen. Der gute alte Holländer, dieser Van Shuyten. Ich habe ihm letztes Jahr einen kleinen Packen Elfenbein geschickt, damit er mich nicht einen miesen Dieb nennen kann, wenn ich zurückkomme. Hoffentlich hat er ihn gekriegt. Das übrige ist mir egal. Ich hatte etwas Holz für Sie vorbereitet. Das war mein altes Haus. Haben Sie es gesehen?‹«

»Ich gab ihm Towsons Buch. Er sah aus, als wolle er mich küssen, hielt sich jedoch zurück. ›Das einzige Buch, das ich zurückließ; und ich dachte schon, es sei weg für immer‹, sagte er und strahlte es verzückt an. ›So vieles passiert einem, wenn man allein umherwandert, verstehen Sie. Kanus kentern zum Beispiel – und manchmal müssen Sie blitzschnell abhauen, wenn die Leute wütend werden.‹ Er blätterte die Seiten über einen Daumen. ›Sie haben sich Notizen gemacht, auf russisch?‹ fragte ich. Er nickte. ›Ich dachte, Sie hätten sie in einer Geheimschrift geschrieben‹, sagte ich. Er lachte, wurde dann ernst. ›Ich hatte die größten Schwierigkeiten, diese Leute fernzuhalten‹, sagte er. ›Wollten sie Sie umbringen?‹ fragte ich. ›Oh, nein!‹ rief er, hielt dann inne. ›Warum haben sie uns angegriffen?‹ fuhr ich fort. Er zögerte, sagte endlich voller Scham: ›Sie wollen ihn nicht fortgehen lassen.‹ ›Tatsächlich nicht?‹ sagte ich neugierig. Er nickte, ein geheimnisvolles und weises Nicken. ›Ich sage Ihnen‹, rief er, ›dieser Mann hat mein Bewußtsein erweitert.‹ Er breitete die Arme aus und starrte mich aus kleinen, blauen Augen an, die vollkommen rund waren.«

3

Ich sah ihn an, in meine Verblüffung verloren. Da war er vor mir, in seinem Narrenkostüm, als sei er einem Schauspielertrupp davongelaufen, begeistert, wie aus einem Märchen. Allein schon daß es so jemanden gab, war kaum zu glauben, unerklärlich und völlig verwirrend. Er war ein unlösbares Rätsel. Es war nicht zu verstehen, wie er überlebt hatte, wie er es geschafft hatte, bis hierher zu kommen, wie er sich hier hatte halten können – wieso er nicht auf der Stelle verschwand. ›Ich ging ein bißchen weiter‹, sagte er, ›und dann noch ein bißchen weiter – bis ich so weit gegangen war, daß ich nicht mehr weiß, wie ich jemals zurückkehren soll. Auch egal. Ich hab Zeit. Ich schaffs schon. Bringen Sie Kurtz schnell fort – schnell – ich sags Ihnen.‹ Der Glanz der Jugend umstrahlte seine vielfarbigen Lumpen, seine Armut, seine Einsamkeit, das tiefe Elend seiner sinnlosen Wanderungen. Monatelang – jahrelang – war sein Leben rein gar nichts wert gewesen; und da war er, flott, gedankenlos lebendig, allem Anschein nach unzerstörbar dank seiner Jugend und seiner unbedachten Kühnheit. Ich spürte so etwas wie Bewunderung – wie Neid. Ein Zauber trieb ihn an, ein Zauber ließ ihn unverletzt bleiben. Sicher forderte er von der Wildnis nur so viel Raum, wie er zum Atmen brauchte, und um sich durch sie hindurchschlagen zu können. Sein Bedürfnis war zu existieren, und mit dem größtmöglichen Risiko weiterzugehen, und mit einem Maximum an Entbehrungen. Wenn jemals ein vollkommen reiner, von jeder Berechnung freier, auf keinerlei Praxis bezogener Abenteuergeist ein menschliches Wesen beseelt hat, dann diesen flickenübersäten Jüngling. Ich war fast ein bißchen neidisch, daß er über diese bescheidene und klare Flamme verfügte. Sie schien in ihm jeden Gedanken an sich selbst so vollständig aufgezehrt zu haben, daß man, sogar während er mit einem sprach, vergaß, daß *er* – der Mann vor der eigenen Nase – all dies durchgemacht hatte.«

»Daß er Kurtz verehrte, darum beneidete ich ihn jedoch nicht. Er hatte nicht darüber nachgedacht. Es hatte ihn überfallen, und er akzeptierte es mit einer Art eifrigem Fatalismus. Ich muß sagen, es schien mir so ziemlich das Gefährlichste zu sein, was ihm bislang zugestoßen war.«

»Es war unvermeidbar gewesen, daß sie sich trafen, so wie zwei Schiffe, die, einander nah, in eine

Windstille geraten sind, schließlich Seite an Seite liegen. Ich vermute, daß Kurtz einen Zuhörer brauchte, denn bei einer bestimmten Gelegenheit, als sie im Wald übernachteten, hatten sie die ganze Nacht über gesprochen, oder, wahrscheinlicher, Kurtz hatte gesprochen. ›Wir sprachen über alles und jedes‹, sagte er, von der Erinnerung tief bewegt. ›Ich vergaß, daß es so etwas wie Schlaf gab. Die Nacht schien kaum eine Stunde lang zu sein. Über alles! Über jedes!... Auch über die Liebe.‹ ›Ah, er sprach mit Ihnen über die Liebe!‹ sagte ich sehr belustigt. ›Nicht so, wie Sie jetzt denken‹, rief er, geradezu leidenschaftlich. ›Er sprach ganz allgemein. Er ließ mich Dinge sehen – Dinge.‹«

»Er warf die Arme in die Höhe. Wir standen zu der Zeit an Deck, und der Häuptling meiner Holzfäller, der in der Nähe herumlungerte, richtete seine schweren und glänzenden Augen auf ihn. Ich sah mich um, und ich weiß nicht warum, aber ich sage euch, noch nie, niemals war mir dieses Land, dieser Fluß, dieser Dschungel, ja sogar das lodernde Himmelsgewölbe so abgeschottet gegen das menschliche Denken, so erbarmungslos der Schwäche des Menschen gegenüber vorgekommen. ›Und seither sind Sie natürlich immer bei ihm geblieben?‹ sagte ich.«

»Im Gegenteil. Anscheinend war ihr Gedankenaustausch sehr oft aus den verschiedensten Gründen unterbrochen worden. Er hatte es geschafft, wie er mir stolz mitteilte, Kurtz durch zwei Krankheiten zu pflegen (er sprach davon wie von einer gefährlichen Heldentat), aber in der Regel war Kurtz allein unterwegs, verschwunden in den Tiefen des Walds. ›Wenn ich zu dieser Station kam, mußte ich sehr oft tagelang warten, bis er auftauchte‹, sagte er. ›Ah, das wars wert! – zuweilen.‹ ›Was hat er getan? Geforscht, oder was?‹ fragte ich. ›Oh, ja, natürlich‹: er hatte viele Dörfer entdeckt, auch einen See – er wußte nicht genau, in welcher Richtung; es war gefährlich, zu viele Fragen zu stellen –, aber die meisten seiner Expeditionen galten dem Elfenbein. ›Aber er hatte damals längst keine Waren mehr, mit denen er hätte handeln können‹, warf ich ein. ›Sogar jetzt noch sind ziemlich viele Patronen übrig‹, antwortete er und sah weg. ›Um es klar und deutlich zu sagen: er raubte das Land aus‹, sagte ich. Er nickte. ›Nicht allein, sicher!‹ Er brummte etwas von den Dörfern rund um jenen See. ›Kurtz brachte den Stamm dazu, mitzumachen, stimmts?‹ schlug ich ihm vor. Er bewegte sich nervös. ›Sie beteten ihn an‹, sagte er. Der Klang dieser Worte war so ungewöhnlich, daß ich ihn forschend ansah. Es war seltsam, die Mischung aus Eifer und Widerstreben zu beobachten, mit der er von Kurtz sprach. Der Mann füllte sein Leben aus, beherrschte sein Denken, überschwemmte seine Gefühle. ›Was erwarten Sie denn?‹ brach es aus ihm heraus. ›Er kam mit Blitz und Donner zu ihnen, verstehen Sie – und sie hatten noch nie so was gesehen, und sehr schreckerregend. Er konnte sehr schreckerregend sein. Sie können über Herrn Kurtz nicht wie über einen gewöhnlichen Menschen urteilen. Nein, nein, nein! Zum Beispiel – nur um Ihnen eine Ahnung zu vermitteln – scheue ich mich nicht, Ihnen zu erzählen, daß er auch mich einmal erschießen wollte – aber ich nehms ihm nicht übel.‹ ›Sie erschießen!‹ rief ich. ›Weshalb denn?‹ ›Nun, ich hatte einen kleinen Posten Elfenbein, den mir der Häuptling jenes kleinen Dorfs in der Nähe meines Hauses gegeben hatte. Verstehen Sie, ich jagte oft für sie. Und er wollte ihn und war keinem Argument zugänglich. Er erklärte, er werde mich erschießen, falls ich ihm das Elfenbein nicht gäbe und aus der Gegend verschwände, weil er das könne und weil er dazu gerade Lust verspüre und weil nichts auf Erden ihn daran hindern könne, jeden zu töten, den er töten wolle. Und das stimmte ja auch. Ich gab ihm das Elfenbein. Was kümmerte es mich schon! Aber ich verschwand nicht aus der Gegend. Nein, nein. Ich konnte ihn nicht verlassen. Ich mußte natürlich aufpassen, bis wir wieder für eine Weile gut miteinander auskamen. Er hatte dann seine zweite Krankheit. Danach mußte ich ihm wieder aus dem Weg gehen; aber das war mir egal. Er lebte meistens in jenen Gegenden am See. Wenn er zum Fluß herunterkam, war er zuweilen freundlich mit mir; und dann wieder war es klüger, vorsichtig zu sein. Dieser Mann litt zu viel. Er haßte all das, und irgendwie kam er nicht davon los. Jedesmal, wenn ich eine Gelegenheit dazu sah, flehte ich ihn an, sie zu ergreifen und wegzugehen, solange noch Zeit war; ich bot ihm an, mit ihm zurückzufahren. Und er sagte stets ja, und jedesmal blieb er dann; brach zu einer weiteren Elfenbeinjagd auf; verschwand für Wochen; vergaß sich bei diesen Leuten – vergaß sich selbst – verstehen Sie.‹ ›Hören Sie! Er ist verrückt!‹ sagte ich. Er protestierte entrüstet. Herr Kurtz konnte nicht verrückt sein. Wenn ich ihn hätte sprechen hören, noch vor zwei Tagen, würde ich es nie wagen, so was auch nur anzudeuten... Ich hatte, während wir sprachen, mein Fernglas wieder an die Augen gesetzt und beobachtete das Ufer; suchte den Waldrand auf beiden Seiten des Hauses und hinter ihm ab. Ich wußte, daß dort im Busch Menschen waren, so still, so ruhig – so still und ruhig wie die Hausruine auf dem Hügel –, und fühlte mich unbehaglich. Kein Zeichen auf dem Gesicht der Natur wies auf die erstaunliche Geschichte hin, die mir nicht eigentlich erzählt, sondern durch verzweifelte Ausrufe angedeutet, durch Achselzucken, abgebrochene Sätze, in tiefen Seufzern ausklingende Hinweise ergänzt wurde. Der Wald war ungerührt, wie eine Maske – schwer, wie das geschlossene Tor eines Gefängnisses –, er blickte mit dem Ausdruck verborgenen Wissens, geduldiger Erwartung, unnahbaren Schweigens. Der Russe erklärte mir, Herr Kurtz sei erst kürzlich zum Fluß heruntergekommen und habe alle kampffähigen Männer jenes Stamms am See mitgebracht. Er sei mehrere Monate lang weg gewesen – hatte sich anbeten lassen, vermute ich – und sei unerwartet wiederaufgetaucht, allem Anschein nach in der Absicht, entweder auf der andern Uferseite oder stromabwärts einen Raubzug zu unternehmen. Offensichtlich hatte die Gier nach mehr Elfenbein die Oberhand über die – wie soll ich mich ausdrücken? – weniger materiellen Ziele gewonnen. Aber es ging ihm plötzlich viel schlechter. ›Ich hörte, daß er hilflos dalag, und so kam ich herauf – versuchte mein Glück‹, sagte der Russe. ›Oh, es geht ihm schlecht, sehr schlecht.‹ Ich richtete mein Fernglas aufs Haus. Ich sah kein Lebenszeichen; dafür das baufällige Dach, die lange Mauer aus Lehm, die aus dem Gras hervorguckte, mit drei kleinen, viereckigen Fensterlöchern, von denen keins gleich groß war; all das schien jetzt direkt vor mir zu sein. Und dann machte ich eine brüske Bewegung, und einer der übriggebliebenen Pfosten jenes verschwundenen Zauns geriet in mein Gesichtsfeld. Ihr erinnert euch, daß ich euch erzählt habe, ich sei, aus der Ferne, über gewisse ornamentale Bemühungen erstaunt gewesen, die angesichts des verlotterten Zustands des Orts ziemlich bemerkenswert schienen. Jetzt sah ich plötzlich alles viel deutlicher, und meine erste Reaktion war, daß ich meinen Kopf nach hinten warf, als hätte ich einen Faustschlag gekriegt. Dann bewegte ich mein Fernglas sorgfältig von Pfosten zu Pfosten und erkannte meinen Irrtum. Diese runden Kugeln waren nicht ornamental, sondern symbolisch; sie waren ausdrucksstark und verwirrend, schlagend und aufwühlend – Nahrung fürs Denken und auch für die Geier, falls gerade welche vom Himmel herabsahen; auf jeden Fall für jene Ameisen, die fleißig genug waren, die Pfosten hochzuklettern. Sie wären sogar noch eindrucksvoller gewesen, jene Schädel auf den Pfostenspitzen, wenn ihre Gesichter nicht dem Haus zugewandt gewesen wären. Nur einer, der erste, den ich bemerkt hatte, sah zu mir hin. Ich war nicht so schockiert, wie ihr vielleicht denkt. Ich hatte meinen Kopf wirklich nur nach hinten bewegt, weil ich so überrascht gewesen war. Ich hatte erwartet, dort eine Holzkugel zu sehen, versteht ihr. Ich wandte mich ohne Hast wieder dem ersten zu, den ich gesehen hatte – und da war er, schwarz, vertrocknet, eingefallen, mit geschlossenen Augenlidern – ein Kopf, der auf der Spitze dieses Pfahls zu schlafen schien und der, weil die eingeschrumpften, trockenen Lippen eine weiße Zahnreihe sehen ließen, auch lächelte, unentwegt über irgendeinen endlosen und witzigen Traum jenes ewigen Schlummers lächelte.«

»Ich verrate keine Geschäftsgeheimnisse. Tatsächlich sagte der Direktor später, Herrn Kurtz' Methoden hätten den Distrikt ruiniert. Ich habe in diesem Punkt keine eigene Meinung, aber ich möchte euch deutlich machen, daß jene Köpfe dort mit Profitdenken kaum etwas zu tun hatten. Sie zeigten nur, daß Herr Kurtz keine Hemmungen hatte, seine verschiedenartigen Gelüste zu befriedigen, daß es in ihm irgendeinen Mangel gab – irgendein kleines Etwas, das, wenn das Bedürfnis danach bedrängend in ihm aufstieg, in seinen wundersamen Reden nicht zu finden war. Ob er selber diesen Defekt kannte, kann ich nicht sagen. Ich denke, er wußte am Ende von ihm – erst ganz am Ende. Die Wildnis aber war ihm früh auf die Schliche gekommen, und sie hatte sich für seinen phantastischen Raubzug schrecklich gerächt. Ich vermute, sie hat ihm Dinge über sich selbst zugeflüstert, von denen er nichts wußte, von denen er keine Vorstellung hatte, bis er mit jener großen Einsamkeit ins Zwiegespräch geriet – und das Flüstern hatte sich als unwiderstehlich faszinierend erwiesen. Es löste ein lautes Echo in ihm aus, weil er innen hohl war... Ich setzte das Fernglas ab, und der Schädel, der so nahe gewesen schien, daß ich mit ihm hätte sprechen können, schien plötzlich in unerreichbare Fernen gesprungen zu sein.«

»Der Bewunderer von Herrn Kurtz war einigermaßen zerknirscht. Mit einer gehetzten, undeutlichen Stimme begann er mir zu versichern, er habe diese – sagen wir, Symbole – nicht herunterzunehmen gewagt. Vor den Eingeborenen habe er keine Angst; sie würden sich erst rühren, wenn Herr Kurtz es ihnen befähle. Sein Einfluß auf sie sei außerordentlich. Die Lager dieser Menschen seien rings um die Station, und jeden Tag kämen die Häuptlinge, um ihn zu sehen. Sie kröchen... ›Ich will nichts von den Zeremonien hören, mit denen sie sich Herrn Kurtz nähern‹, brüllte ich. Seltsam, das Gefühl, das mich da überfiel: daß solche Einzelheiten unerträglicher als die Köpfe sein könnten, die auf den Stecken unter den Fenstern von Herrn Kurtz vor sich hin trockneten. Sie waren schließlich nur ein barbarischer Anblick, während ich auf einen Schlag in eine lichtlose Region heimtückischer Schrecken versetzt worden schien, in der die reine, unkomplizierte Wildheit eine wahre Wohltat war, weil sie – ich sahs ja – das Recht hatte, im Sonnenlicht zu existieren. Der junge Mann sah mich überrascht an. Vermutlich kam er nicht auf die Idee, Herr Kurtz könnte für mich kein Abgott sein. Er vergaß, daß ich keinen dieser wunderherrlichen Monologe über, was wars?, über die Liebe, die Gerechtigkeit, das richtig geführte Leben – oder was auch immer – gehört hatte. Was das Kriechen vor Herrn Kurtz betraf: da kroch er so viel wie der wildeste dieser Wilden. Ich hätte keine Vorstellung von den Verhältnissen hier, sagte er: diese Schädel seien die Schädel von Aufständischen. Ich verstörte ihn außerordentlich, als ich lachte. Aufständischen! Was war wohl die nächste Definition, die ich zu hören bekam? Es hatte Feinde, Kriminelle, Arbeiter gegeben – und die waren Aufständische. Diese aufständischen Köpfe auf ihren Pfählen sahen für mich sehr unterwürfig aus. ›Sie wissen nicht, wie ein solches Leben einen Mann wie Kurtz herausfordert‹, rief der letzte Jünger von Kurtz. ›Nun, und Sie?‹ sagte ich. ›Ich! Ich! Ich bin ein einfacher Mann. Ich habe keine großen Gedanken. Ich will nichts von niemandem. Wie können Sie mich mit ihm vergleichen?…‹ Seine Gefühle waren zu stark für die Sprache, und plötzlich brach er zusammen. ›Ich verstehe es nicht‹, wimmerte er. ›Ich habe mein

Bestes getan, ihn am Leben zu erhalten, und das ist genug. Ich habe mit alldem nichts zu tun. Ich kann nichts. Seit Monaten gibts hier keinen Tropfen Medizin oder einen Bissen Krankenkost. Er wurde schmählich im Stich gelassen. So ein Mann, mit solchen Ideen. Es ist eine Schande! Eine Schande! Ich – ich – habe seit zehn Nächten nicht geschlafen...‹«

»Seine Stimme verklang in der Stille des Abends. Die langen Schatten des Waldes waren, während wir sprachen, den Hügel hinuntergeglitten, weit über die baufällige Hütte hinaus, hinweg über die symbolische Steckenreihe. All das lag im Dunkeln, während wir hier unten immer noch in der Sonne waren und der Fluß vor der Lichtung ruhig und prächtig glitzerte und glänzte, zwischen einer dunklen und schattigen Biegung ober- und unterhalb. Keine lebende Seele war am Ufer zu sehen. Die Büsche raschelten nicht.«

»Plötzlich kam eine Männergruppe hinter der Hausecke hervor, so als habe sie der Erdboden ausgespuckt. Sie wateten bis zum Gürtel im Gras, ein kompakter Klumpen, der eine improvisierte Bahre in seiner Mitte trug. Sofort drang aus der Leere der Landschaft ein Schrei, der so schrill war, daß er die ruhige Luft wie ein scharfer Pfeil durchbohrte, der direkt auf das Herz des Landes zuflog; und wie durch einen Zauber spie der schwarzgesichtige und nachdenkliche Wald einen Strom aus Menschen in die Lichtung hinaus – nackte menschliche Wesen – mit Speeren in den Händen, mit Bogen, mit Schilden, mit wilden Blicken und rasenden Bewegungen. Die Büsche bewegten sich, das Gras wogte für eine Weile, und dann erstarrte alles in angespannter Reglosigkeit.«

»›Wenn er jetzt nicht das Richtige zu ihnen sagt, sind wir geliefert‹, sagte der Russe dicht neben mir. Der Männerklumpen mit der Bahre war ebenfalls stehengeblieben, auf halbem Weg zum Dampfer, wie versteinert. Ich sah, daß sich der Mann, ausgemergelt und mit einem hocherhobenen Arm, auf der Bahre aufrichtete über den Schultern der Träger. ›Hoffen wir, daß der Mann, der so gut von der Liebe im allgemeinen sprechen kann, ein paar besondere Argumente findet, damit wir dies hier überleben‹, sagte ich. Ich fühlte äußerst heftig, auf welch absurde Weise gefährlich unsere Lage war, so als sei die Not, diesem entsetzlichen Geisterbild ausgeliefert zu sein, entehrend. Ich konnte keinen Ton hören, aber durch mein Fernglas sah ich den dünnen Arm, der befehlend ausgestreckt war, den Unterkiefer, der sich bewegte, die Augen dieser Erscheinung, die tief in einem knochigen Schädel, der mit grotesken Rucken nickte, leuchteten. Kurtz – Kurtz – auf deutsch heißt das *kurz* – oder nicht?

Nun, der Name stimmte so sehr wie alles andere in seinem Leben und seinem Tod. Er sah aus, als sei er mindestens zwei Meter groß. Seine Decke war heruntergefallen, und sein Körper tauchte armselig und schauderhaft wie aus einem Leichentuch aus ihr auf. Ich konnte sehen, wie sich das Gitter seiner Rippen bewegte, wie die Knochen seiner Arme winkten. Es sah aus, als habe eine belebte, aus altem Elfenbein geschnitzte Darstellung des Todes ihre Hand drohend gegen eine reglose Menschenmenge erhoben, die aus dunkler und glänzender Bronze gegossen war. Ich sah, wie er den Mund weit öffnete – er sah wie ein gieriger Dämon aus, als wolle er alle Luft, alle Erde und alle Menschen vor sich verschlingen. Eine tiefe Stimme drang schwach bis zu mir. Er muß gebrüllt haben. Er fiel plötzlich zurück. Die Bahre schaukelte, als die Träger wieder vorwärts stolperten, und beinahe gleichzeitig bemerkte ich, daß die Masse der Wilden ohne eine erkennbare Rückzugsbewegung verschwand, als habe der Wald, der diese Wesen so jäh ausgespuckt hatte, sie wieder weggesogen, so wie man tief Atem holt.«

»Einige Pilger hinter der Bahre trugen seine Waffen – zwei Schrotflinten, ein schweres Gewehr und einen leichten Karabiner mit einem Drehmagazin –, die Donnerkeile dieses jammervollen Jupiter. Der Direktor beugte sich über ihn und murmelte etwas, während er neben seinem Kopf einherging. Sie legten ihn in eine der kleinen Kabinen – die gerade groß genug für ein Bett und einen oder zwei Feldsessel waren, wißt ihr. Wir hatten seine liegengebliebene Korrespondenz mitgebracht, und eine Unmenge zerrissener Umschläge und offener Briefe lag über sein Bett verstreut. Seine Hand glitt schwach zwischen diesen Papieren herum. Ich war vom Feuer seiner Augen und von der ruhigen Kraftlosigkeit seiner Gesichtszüge beeindruckt. Sie spiegelten nicht eigentlich die Erschöpfung einer Krankheit. Er schien keine Schmerzen zu haben. Dieser Schatten sah zufrieden und ruhig aus, als sei er für den Augenblick gesättigt von all den Emotionen.«

»Er zerknüllte einen der Briefe, sah mir direkt ins Gesicht und sagte: ›Ich freue mich.‹ Jemand hatte ihm von mir geschrieben. Die besonderen Empfehlungen tauchten wieder auf. Das Stimmvolumen, das ihm ohne jede Anstrengung – fast ohne daß er die Lippen bewegte – zur Verfügung stand, verblüffte mich. Eine Stimme! Eine Stimme! Sie war ernst, tief, schwingend, während der Mann kaum zu flüstern fähig schien. Er hatte jedoch genügend Kraft – unechte, kein Zweifel –, uns alle fast umzubringen, wie ihr jetzt gleich hören werdet.«

»Der Direktor erschien wortlos unter der Tür; ich ging sogleich hinaus, und er zog den Vorhang hinter mir zu. Der Russe, den die Pilger neugierig beäugten, starrte zum Ufer hinüber. Ich folgte der Richtung seines Blicks.«

»In der Ferne waren undeutlich die schwarzen Schatten von Menschen zu sehen, die dem dunklen Waldrand entlanghuschten, und nahe am Fluß, in der Sonne, standen zwei Bronzefiguren, mit riesigen Speeren in den Händen und phantastischen Kopfbedeckungen aus gefleckten Fellstücken, kriegerisch und bewegungslos wie Statuen. Und von rechts nach links, dem leuchtenden Ufer entlang, bewegte sich die wilde und prachtvolle Erscheinung einer Frau.«

»Sie ging mit gemessenen Schritten, in gestreiften Kleidern voller Fransen, und während sie ihre Füße stolz auf die Erde setzte, klingelte und glänzte ihr urzeitlicher Schmuck. Sie trug ihren Kopf hoch erhoben; ihre Haare hatten die Form eines Helms; sie trug einen Beinschutz aus Messing, der ihr bis zum Knie ging, bis zu den Ellbogen reichende Handschuhe aus Messingdraht, einen karminroten Fleck auf jeder der hellbraunen Wangen, zahllose Halsbänder aus Glasperlen; bizarre Gegenstände, Amulette, Gaben von Hexern hingen an ihr herum und glitzerten und bebten bei jedem Schritt. Sie trug gewiß den Gegenwert mehrerer Elefantenzähne auf sich. Sie war wild und großartig, glutäugig und herrlich; etwas Unheildrohendes und Majestätisches lag in ihren bedächtig näher kommenden Schritten. Und in der Stille, die sich jäh über das ganze trauervolle Land gelegt hatte, schien die unendliche Wildnis, der gewaltige Körper des fruchtbaren und geheimnisvollen Lebens auf sie zu blikken, nachdenklich, als blicke er auf das Bild seiner eigenen dunklen und leidenschaftlichen Seele.«

»Sie kam ganz nahe an den Dampfer heran, blieb stehen und wandte sich uns zu. Ihr langer Schatten reichte bis zum Wasser. Ihr tragisches und leidenschaftliches Gesicht zeigte wilden Schmerz und ein stummes Leiden, das sich mit den Ängsten irgendeines sich eben bildenden, unfertigen Entschlusses mischte. Sie stand da und sah uns an, reglos und wie die Wildnis selber, mit einer Miene, als überdenke sie einen unauslotbaren Plan. Eine geschlagene Minute verstrich, und dann trat sie einen Schritt vor. Wir hörten ein leises Klingeln, gelbes Metall glitzerte, die fransigen Tücher raschelten, und sie hielt inne, als habe ihr Herz ausgesetzt. Der junge Mann neben mir brummelte etwas. Die Pilger in meinem Rücken murmelten. Sie sah uns alle an, als ob ihr Leben von der unerschütterlichen Festigkeit ihres Blickes abhinge. Plötzlich breitete sie ihre nackten Arme aus und reckte sie steil über ihren Kopf, als wolle sie, in einem unbezwingbaren Verlangen, den

Himmel anfassen, und im gleichen Augenblick fuhren die huschenden Schatten aus der Erde, strömten bis in den Fluß hinunter und scharten sich in einer schattenhaften Umarmung um den Dampfer. Eine ungeheure Stille hing über der Szene.«

»Sie wandte sich langsam ab, ging dem Ufer entlang davon und glitt in die Büsche zu unserer Linken. Nur einmal noch funkelten ihre Augen aus dem dunkeln Gestrüpp zu uns zurück, bevor sie verschwand.«

»›Wenn sie an Bord gekommen wäre, hätte ich, glaube ich, tatsächlich auf sie zu schießen versucht‹, sagte der Flickenmann nervös. ›Ich habe in den letzten zwei Wochen Tag für Tag mein Leben riskiert, um sie vom Haus fernzuhalten. Einmal kam sie herein und zog eine Riesenshow wegen diesen armseligen Fetzen ab, die ich aus dem Lagerraum hatte, um meine Kleider damit zu flicken. Ich war nicht korrekt gekleidet. Zum mindesten muß es das gewesen sein, denn sie redete eine Stunde lang wie eine Furie auf Kurtz ein und zeigte hie und da auf mich. Ich verstehe den Dialekt dieses Stamms nicht. Zu meinem Glück fühlte sich Kurtz an jenem Tag zu krank, um sich um so was zu kümmern, vermute ich, denn sonst hätte es Zoff gegeben. Ich verstehe nicht… Nein – das ist zu hoch für mich. Na ja, jetzt ists ja vorbei.‹«

»In diesem Augenblick hörte ich die tiefe Stimme von Kurtz hinter dem Vorhang: ›Mich retten! – das Elfenbein retten, meinen Sie. Erzählen Sie mir keine Märchen. *Mich* retten! Ich mußte *Sie* retten. Jetzt hintertreiben Sie meine Pläne. Krank! Krank! Nicht so krank, wie Sie mich gern hätten. Egal. Ich verwirkliche meine Pläne schon noch – ich komme zurück. Ich werde Ihnen zeigen, was man tun kann. Sie mit Ihrer Hausierermentalität – Sie pfuschen mir drein. Ich komme zurück, ich …‹«

»Der Direktor kam heraus. Er ehrte mich damit, daß er sich bei mir einhängte und mich beiseite führte. ›Es geht ihm schlecht, sehr schlecht‹, sagte er. Er hielt es für angemessen zu seufzen, vergaß aber, entsprechend sorgenvoll auszusehen. ›Wir haben alles Menschenmögliche für ihn getan – oder etwa nicht? Aber wir können vor der Tatsache nicht die Augen verschließen, daß Kurtz der Gesellschaft mehr Schaden zugefügt als genutzt hat. Er hat nicht erkannt, daß die Zeit noch nicht reif für die Anwendung von Gewalt war. Vorsicht, Vorsicht – das ist meine Devise. Vorläufig müssen wir vorsichtig sein. Das Gebiet ist uns für einige Zeit verschlossen. Ein Jammer! Aufs Ganze bezogen wird der Handel darunter leiden. Ich bestreite nicht, daß eine bemerkenswerte Menge Elfenbein hier liegt – das meiste fossil. Wir müssen es unter allen Umständen retten – aber schauen Sie, wie heikel die Lage ist – und warum? Weil die Methode krank ist.‹ ›Sie nennen das‹, sagte ich und sah zum Ufer hinüber, ›eine kranke Methode?‹ ›Zweifellos‹, rief er hitzig. ›Sie nicht?‹…«

»›Überhaupt keine Methode‹, murmelte ich nach einer Weile. ›Genau‹, jubelte er. ›Ich habs ja immer gewußt. Sie beweist einen völligen Mangel an Urteilsvermögen. Es ist meine Pflicht, dies der zuständigen Stelle deutlich zu machen.‹ ›Oh‹, sagte ich, ›jener Bursche – wie heißt er gleich? – der Ziegelbrenner, der wird Ihnen einen lesbaren Bericht schreiben.‹ Er sah einen Augenblick lang verdutzt aus. Mir kams so vor, als hätte ich noch nie eine so verpestete Luft eingeatmet, und im Geiste wandte ich mich an Kurtz, er möge mir helfen – tatsächlich, helfen. ›Trotz allem glaube ich, daß Herr Kurtz ein bemerkenswerter Mann ist‹, sagte ich voller Emphase. Er fuhr in die Höhe, sah mich mit einem kalten, vernichtenden Blick an, sagte sehr ruhig ›Er *war* es‹ und wandte mir den Rücken zu. Die Zeit des Wohlwollens war vorüber; ich fand mich als ein Spezi von Kurtz wieder, als ein Verfechter von Methoden, für die die Zeit noch nicht reif war; ich war krank! Ah! Aber es war schon etwas, wenigstens zwischen zwei Albträumen wählen zu können.«

»In Wirklichkeit hatte ich mich der Wildnis zugewandt, nicht Herrn Kurtz, der, wie ich bereitwillig zugab, so gut wie begraben war. Und für einen Augenblick kams mir so vor, als sei auch ich in einer riesigen Gruft voller unnennbarer Geheimnisse begraben. Ich fühlte einen unerträglichen Druck auf der Brust, der Geruch feuchter Erde, die unsichtbare Gegenwart siegreicher Korruption, die Finsternis einer undurchdringbaren Nacht... Der Russe klopfte mir auf die Schulter. Ich hörte, wie er so etwas wie ›Seemannsbruder – kanns nicht für mich behalten – ich weiß von Dingen, die den guten Ruf von Herrn Kurtz beeinträchtigen könnten‹ murmelte und stammelte. Ich wartete. Für ihn war Herr Kurtz offensichtlich noch nicht unter der Erde; ich vermute, daß Herr Kurtz für ihn zu den Unsterblichen gehörte. ›Nun!‹ sagte ich endlich. ›Schießen Sie los. Wie es sich so trifft, bin ich ein Freund von Herrn Kurtz – in einem gewissen Sinn.‹«

»Er legte außerordentlich förmlich dar, daß er, hätten wir nicht ›denselben Beruf‹, die ganze Angelegenheit für sich behalten hätte, ohne sich um die Folgen zu kümmern. Er habe jedoch den Verdacht, es sei ›bewußter böser Wille dieser Weißen ihm gegenüber gewesen, daß...‹ ›Das stimmt‹, sagte ich. ›Der Direktor meint, man müßte Sie aufhängen.‹ Er war von dieser Mitteilung so beunruhigt, daß mich das anfangs belustigte. ›Ich sollte mich wohl still und leise aus dem Staub machen‹, sagte er ernst. ›Ich kann jetzt nichts mehr für Kurtz tun, und sie fänden bald einen Vorwand. Was soll sie daran hindern? Der nächste Militärposten ist fünfhundert Kilometer weit weg.‹ ›Nun, mein Wort drauf‹, sagte ich, ›vielleicht sollten Sie tatsächlich gehen, falls Sie irgendwelche Freunde unter den Wilden hier in der Nähe haben.‹ ›Jede Menge‹, sagte er. ›Sie sind einfache Menschen – und ich fordere nichts, verstehen Sie.‹ Er stand da und biß sich auf die Lippen, dann: ›Ich will ja nicht, daß diesen Weißen irgendwas zustößt, andererseits dachte ich natürlich an den Ruf von Herrn Kurtz – aber Sie sind ein Seemannsbruder und –‹ ›Bestens‹, sagte ich nach einer Weile. ›Der gute Ruf von Herrn Kurtz ist bei mir gut aufgehoben.‹ Ich wußte nicht, wie sehr ich da die Wahrheit sprach.«

»Er teilte mir mit – senkte dazu die Stimme –, daß Kurtz den Angriff auf den Dampfer befohlen habe. ›Er hielt zuweilen den Gedanken, weggeholt zu werden, nicht aus – und dann wieder … Aber davon verstehe ich nichts. Ich bin ein einfacher Mann. Er dachte, das würde euch verscheuchen – ihr würdet aufgeben und denken, er sei tot. Ich konnte ihn nicht daran hindern. Oh, dieser letzte Monat war fürchterlich.‹ ›Sehr schön‹, sagte ich. ›Jetzt gehts ihm gut.‹ ›Ja-a-a‹, murmelte er, offenbar nicht sonderlich überzeugt. ›Danke‹, sagte ich. ›Ich werde die Augen offenbehalten.‹ ›Aber behutsam – ja?‹ fügte er nachdenklich und angstvoll hinzu. ›Es wäre für seinen guten Ruf entsetzlich, falls jemand hier –‹ Ich sagte ihm feierlich die allergrößte Diskretion zu. ›Ich habe ein Kanu und drei Schwarze, die nicht weit von hier auf mich warten. Ich bin schon weg. Könnten Sie mir ein paar Martini-Henry-Patronen abgeben?‹ Ich konnte, und tats auch, mit der allergrößten Diskretion. Er nahm sich – zwinkerte mir dabei zu – eine Handvoll von meinem Tabak. ›Unter Seeleuten – ist ja klar – guter englischer Tabak.‹ Unter der Tür des Steuerhauses drehte er sich um – ›Sagen Sie, hätten Sie nicht ein Paar Schuhe, die Sie nicht mehr benötigen?‹ Er hob ein Bein, ›Sehen Sie.‹ Die Sohlen waren mit Schnüren an seine nackten Füße gebunden, wie Sandalen. Ich holte ein altes Paar hervor, das er bewundernd ansah, bevor er es unter seinen linken Arm klemmte. Eine seiner Taschen (hellrot) war von den Patronen ausgebeult, aus der andern (dunkelblau) guckte Towsons *Untersuchung etc., etc.* heraus. Er schien sich für außerordentlich gut ausgerüstet für eine neuerliche Begegnung mit der Wildnis zu halten. ›Ah! Nie, nie mehr werde ich einem solchen Mann begegnen. Sie hätten ihn hören sollen, wie er Gedichte rezitierte – eigene auch, sagte er mir. Gedichte!‹ Er rollte mit den Augen, während er sich an diese Genüsse erinnerte. ›Oh, er hat mein Bewußtsein erweitert!‹ ›Leben Sie wohl‹, sagte ich. Er gab mir die Hand und verschwand in der Nacht. Manchmal frage ich mich, ob ich ihn wirklich gesehen habe – ob es möglich war, so ein Phänomen kennenzulernen?...«

»Als ich kurz nach Mitternacht aufwachte, fiel mir seine Warnung ein, sein Hinweis auf eine Gefahr, die mir in der sternenfunkelnden Nacht so wirklich schien, daß ich aufstand, um mich mal umzusehen. Auf der Anhöhe brannte ein großes Feuer, das zuweilen eine schiefe Ecke des Stationshauses beleuchtete. Einer der Agenten hielt mit einigen unsrer Schwarzen, die zu diesem Zweck bewaffnet worden waren, Wache beim Elfenbein; aber tief im Wald zeigten uns rote, flackernde Glutlichter, die hinter einem Wirrwarr aus säulenhohen, ungeheuer schwarzen Schatten aufzulodern und niederzusinken schienen, die genaue Lage des Camps, wo die Verehrer von Herrn Kurtz ihre unfrohe Nachtwache hielten. Das eintönige Schlagen einer großen Trommel erfüllte die Luft mit dumpfem Gedröhn und einer trägen Erschütterung. Ein unaufhörliches Summen vieler Menschen, die jeder für sich allein irgendwelche unheimliche Beschwörungen sangen, drang aus der schwarzen, flachen Wand der Bäume, wie das Gesumm von Bienen aus ihren

Stöcken, und wirkte seltsam einschläfernd auf meine halbwachen Sinne. Ich glaube, ich döste wieder ein, an die Reling gelehnt, bis plötzlich, überwältigend, ein lange aufgestauter und geheimnisvoller Wahnsinnslärm ausbrach und mich verwundert und verstört hochfahren ließ. Ebenso unvermittelt brach er wieder ab, das leise Summen ging weiter und hatte nun die Wirkung einer hörbaren und besänftigenden Stille. Irgendwann einmal warf ich auch einen Blick in die kleine Kabine. Ein Licht brannte darin, aber Herr Kurtz war nicht da.«

»Ich glaube, ich hätte laut losgeschrien, wenn ich meinen Augen getraut hätte. Aber das tat ich zuerst nicht – es schien so unmöglich. Tatsache ist, daß mich eine offene, grenzenlose Panik überschwemmte, reines abstraktes Entsetzen, das mit irgendeinem präzisen Gefühl für eine körperliche Gefahr nichts zu tun hatte. Was dieses Gefühl so überwältigend machte, war – wie soll ich das definieren? – die moralische Erschütterung, die ich verspürte, als sei unerwartet etwas ganz Ungeheuerliches, für das Denken Unerträgliches und der Seele Verhaßtes über mich hereingebrochen. Das dauerte natürlich nicht länger als ein Sekundenbruchteil, und dann tröstete und stärkte mich auch schon das vertraute Gefühl einer altgewohnten, tödlichen Gefahr, die Möglichkeit, plötzlich abgeschlachtet und in Stücke gehauen zu werden, oder etwas in der Art, gleich jetzt. Es beruhigte mich tatsächlich so sehr, daß ich nicht einmal Alarm schlug.«

»Keinen Meter von mir entfernt, auf Deck, schlief ein in einen Mantel gehüllter Agent in einem Stuhl. Die Schreie hatten ihn nicht geweckt; er schnarchte ganz leise; ich ließ ihn weiterschlummern und sprang an Land. Ich verriet Herrn Kurtz nicht – ich hatte den Auftrag, ihn niemals zu verraten – es stand geschrieben, ich hätte dem Alb meiner Wahl treu zu bleiben. Ich gab mir die größte Mühe, allein mit diesem Schatten fertig zu werden – und bis heute weiß ich nicht, warum ich so eifersüchtig darum besorgt war, die besondere Schwärze jener Erfahrung mit niemandem sonst zu teilen.«

»Sofort, als ich am Ufer war, sah ich eine Spur – eine breite Spur im Gras. Ich erinnere mich an das Triumphgefühl, mit dem ich zu mir selber sagte: ›Er kann nicht gehen – er kriecht auf allen vieren – den schnapp ich mir.‹ Das Gras war naß vom Tau. Ich ging schnell, mit geballten Fäusten. Vielleicht phantasierte ich vor mich hin, über ihn herzufallen und ihn windelweich zu prügeln. Keine Ahnung. Ich dachte ein paar kindische Gedanken. Die strickende alte Frau mit ihrer Katze tauchte aus meinem Gedächtnis auf, die ungeeignetste Person, die Fäden in so einer Sache zu ziehen. Ich erblickte eine Reihe

Pilger, die aus ihren Winchesters Blei in die Luft spritzten, aus der Hüfte schießend. Ich dachte, ich würde es nie mehr zum Dampfer zurück schaffen und stellte mir vor, wie ich allein und unbewaffnet in den Wäldern lebte, bis in meine alten Tage. So dummes Zeug – ihr versteht. Und ich erinnere mich, daß ich das Gedröhn der Trommel mit meinem schlagenden Herzen verwechselte und daß mich seine ruhige Regelmäßigkeit entzückte.«

»Ich blieb jedoch in der Spur – hielt endlich inne, um zu lauschen. Die Nacht war sehr hell; eine dunkelblaue Wegstrecke, die im Tau und Sternenlicht funkelte, voller sehr ruhiger schwarzer Dinge. Ich glaubte, vor mir eine Art Bewegung zu sehen. Ich war mir in jener Nacht meiner Sache merkwürdig sicher. Ich verließ sogar die Spur und rannte in einem weiten Bogen bergauf (ich bin mir fast sicher, daß ich in mich hineinkicherte), um vor jene Bewegung, jene Regung zu kommen, die ich gesehen hatte – falls ich tatsächlich etwas gesehen hatte. Ich überlistete Kurtz, als spielten wir wie die Buben zusammen.«

»Ich fand ihn und wäre sogar, hätte er mich nicht kommen hören, über ihn gestolpert, aber er richtete sich rechtzeitig auf. Er kam auf die Füße zu stehen, unsicher, lang, blaß, undeutlich wie eine Dampfwolke, die aus der Erde hochsteigt, und schwankte langsam, nebelhaft und still vor mir hin und her; während in meinem Rücken die Feuer zwischen den Bäumen glühten und das Murmeln vieler Stimmen aus dem Wald drang. Ich hatte ihm den Weg schlau abgeschnitten; aber als ich ihm nun tatsächlich gegenüberstand, kam ich wieder zu mir und erkannte die Gefahr in ihrem wirklichen Ausmaß. Sie war noch keineswegs vorbei. Wenn er zu schreien anfing? Obwohl er kaum stehen konnte, blieb seine Stimme immer noch kräftig genug. ›Verschwinden Sie – verstecken Sie sich‹, sagte er mit jenem tiefen Klang. Es war wirklich furchterregend. Ich sah zurück. Wir waren keine dreißig Meter vom nächsten Feuer entfernt. Eine schwarze Gestalt erhob sich, ging auf langen schwarzen Beinen, schwenkte lange schwarze Arme durch die Glut hindurch. Sie trug Hörner – Antilopenhörner, glaube ich – auf ihrem Kopf. Ein Zauberer, ein Hexer, zweifellos: mir sah er teuflisch genug aus. ›Wissen Sie, was Sie da tun?‹ wisperte ich. ›Vollkommen‹, antwortete er und hob für dieses eine Wort die Stimme; sie klang weit weg und trotzdem laut, wie ein Ruf durch ein Sprachrohr. Wenn er Krach schlägt, sind wir verloren, dachte ich. Das war offenkundig nicht der Augenblick für eine Schlägerei, ganz abgesehen von meiner sehr natürlichen Abneigung, diesen Schatten zu hauen – dieses herumwandernde und gequälte Etwas. ›Sie werden verloren sein‹, sagte ich – ›völlig verloren‹. Manchmal hat man so blitzartige Einfälle, nicht wahr. Ich sagte das Richtige, obwohl er ja eigentlich nicht noch endgültiger hätte verloren sein können als in genau jenem Augenblick, da die Fundamente unsrer Vertrauensgemeinschaft gelegt wurden, die dann bis, ja, bis zu seinem Ende halten sollten, und sogar länger.«

»›Ich hatte ungeheuere Pläne‹, murmelte er unentschlossen. ›Ja‹, sagte ich. ›Aber wenn Sie zu schreien versuchen, schlage ich Ihnen den Schädel mit einem –‹ Es gab weder einen Stock noch einen Stein. ›Erwürge ich Sie auf der Stelle‹, verbesserte ich mich. ›Ich stand auf der Schwelle zu großen Dingen‹, verteidigte er sich, mit einer so sehnsuchtsvollen Stimme, einem derart ernsten Ton, daß mir das Blut in den Adern gerann. ›Und jetzt kommt dieser schwachsinnige Schuft –‹ ›Ihr Erfolg in Europa ist Ihnen auf jeden Fall gewiß‹, versicherte ich ihm gelassen. Ich hatte nicht die geringste Lust, ihn zu erwürgen, versteht ihr – und tatsächlich hätte uns das auch kaum etwas genützt. Ich versuchte, den Zauber zu brechen – den schweren, stummen Zauber der Wildnis –, der ihn an die mitleidslose Brust zu ziehen schien, indem er vergessene und brutale Instinkte weckte, die Erinnerung an befriedigte und monströse Leidenschaften. Das, und nur das, da war ich sicher, hatte ihn zum Waldrand hingetrieben, zum Busch, zu den glühenden Feuern, dem Pulsschlag der Trommeln, dem Gesumm unheimlicher Beschwörungen; das, und nur das, hatte seine gesetzlose Seele verlockt, die Grenzen erlaubter Lebensziele zu überschreiten. Und, versteht ihr, das Schreckliche an meiner Lage war nicht, daß ich nun gleich eins über den Schädel kriegen konnte – obwohl mir diese Gefahr ebenfalls sehr lebhaft bewußt war –, sondern daß ich es mit einem Wesen zu tun hatte, zu dem ich nicht im Namen von etwas Hohem oder Tiefem sprechen konnte. Genau wie die Neger mußte ich ihn beschwören – ihn allein – seine eigene hochgespannte und unglaubliche Erniedrigung. Es gab nichts über oder unter ihm, und ich wußte das. Er hatte sich von der Erde losgetreten. Er hatte, und wenn er dabei draufginge!, die Erde selbst in Stücke gehauen. Er war allein, und ich, vor ihm, wußte nicht, ob ich auf festem Boden stand oder in der Luft schwebte. Ich habe euch erzählt, was wir sagten – die Sätze wiederholt, die wir sprachen – aber wozu? Es waren gewöhnliche Alltagsworte – die vertrauten, diffusen Laute, die wir an jedem Tag von uns geben, den der Herr werden läßt. Aber was sagt das schon? Hinter ihnen, wenn ihr mich fragt, war die schreckliche Suggestionskraft von Wörtern, die man in Träumen hört, von Sätzen aus Albträumen. Die Seele! Wenn jemals jemand mit einer Seele gekämpft hat, dann bin ich es. Und ich hatte es nicht etwa mit einem Spinner zu tun. Glaubt mir oder glaubt mir nicht, sein Denken war vollkommen klar – mit einer schrecklichen Intensität auf sich selbst konzentriert, das ist wahr, aber dennoch klar; und genau da lag meine einzige Chance – einmal abgesehen davon, daß ich ihn hier und jetzt umbringen konnte, was aber, wegen des unvermeidlichen Lärms, keine besonders gute Idee war. Aber seine Seele war verrückt. Allein gelassen in der Wildnis hatte sie in sich hineingeblickt und war, Gott im Himmel!, verrückt geworden. Ich mußte – meiner Sünden wegen, vermute ich – die Prüfung bestehen, meinerseits in sie hineinzusehen. Keine schönen Reden hätten meinen Glauben an die Menschheit so erfolgreich zerstören können wie der Anfall von Aufrichtigkeit, den er ganz zum Schluß hatte. Mit sich selber kämpfte er auch. Ich sah es – ich hörte es. Ich sah das unvorstellbare Rätsel einer Seele, die keine Grenzen, keinen Glauben und keine Angst kannte und dennoch blind mit sich selber kämpfte. Ich hielt mich ganz gut; aber als ich ihn endlich auf der Pritsche liegen hatte, wischte ich mir die Stirn trocken, während meine Beine unter mir zitterten, als hätte ich eine halbe Tonne den Hügel herabgeschleppt.

Dabei hatte ich ihn bloß gestützt, während sein knochiger Arm meinen Hals umschlang, und er war nicht viel schwerer als ein Kind.«

»Als wir am nächsten Tag um Mittag ablegten, strömte die Menge, die ich hinter dem Baumvorhang keinen Augenblick lang vergessen hatte, erneut aus dem Wald heraus, füllte die Lichtung, bedeckte den Abhang mit einer Unmenge nackter, atmender, zitternder, bronzefarbener Körper. Ich fuhr ein bißchen stromaufwärts, wendete dann, und zweitausend Augen verfolgten die Bewegungen des gischtenden, stampfenden, zornigen Flußdämons, der das Wasser mit seinem schrecklichen Schwanz peitschte und schwarzen Rauch in die Luft ausatmete. Vor der ersten Reihe, vorn am Ufer, hetzten drei Männer, die von Kopf bis Fuß mit roter Erde bemalt waren, ruhelos hin und her. Als wir wieder auf ihrer Höhe waren, wandten sie sich dem Fluß zu, stampften mit ihren Füßen, nickten mit ihren Hornköpfen, wiegten ihre scharlachroten Körper; sie schüttelten einen schwarzen Federwedel in die Richtung des zornigen Flußdämons, ein schäbiges Fell mit einem herunterhängenden Schwanz – etwas, was wie ein vertrockneter Kürbis aussah; in regelmäßigen Abständen und alle drei zusammen schrien sie Ketten wahnsinniger Wörter, die in nichts den Klängen menschlicher Sprache glichen; und das tiefe Murmeln der Menge, das zuweilen jäh aufhörte, erinnerte an die Responsorien einer teuflischen Litanei.«

»Wir hatten Kurtz ins Ruderhaus getragen; dort oben war die Luft besser. Er lag auf der Couch und starrte durch die offene Luke. In der Menschenmenge gabs ein Durcheinander, und die Frau mit der Helmfrisur und den hellbraunen Wangen stürzte bis dicht ans Wasser herunter. Sie streckte ihre Hände aus, rief etwas, und der ganze wilde Mob wiederholte den Ruf, ein Chor, der artikuliert, schnell und atemlos brüllte.«

»›Verstehen Sie das?‹ fragte ich.«

»Er sah weiterhin mit glühenden, sehnsuchtsvollen Augen durch mich hindurch, mit einem Gesichtsausdruck, in dem sich nachdenklicher Ernst und Haß vermischten. Er antwortete nicht, aber ich sah ein Lächeln, ein vieldeutiges Lächeln auf seinen farblosen Lippen auftauchen, die sich einen Augenblick später verkrampften. ›So? Verstehe ich das?‹ sagte er langsam und keuchte, als habe eine übernatürliche Macht die Worte aus ihm herausgepreßt.«

»Ich zog an der Leine des Signalhorns, und ich tat das, weil ich sah, daß die Pilger auf Deck ihre Gewehre mit Gesichtern hervorholten, die zeigten, wie sehr sie sich darauf freuten, wieder mal die Sau rauszulassen. Als das Horn so plötzlich losheulte, ging eine Bewegung schrecklichsten Entsetzens durch diese Menge dicht aneinandergedrängter Körper. ›Hören Sie auf! Verscheuchen Sie sie nicht!‹ rief jemand auf Deck ganz untröstlich. Ich zog und zog an der Leine. Sie gerieten durcheinander und rannten davon, sie sprangen, sie krochen, sie schlugen Haken, sie versuchten dem heranfliegenden Terror des Horngeheuls auszuweichen. Die drei roten Burschen waren flach auf den Bauch gestürzt, mit dem Gesicht nach unten, dicht am Ufer, als seien sie erschossen worden. Einzig die wilde und großartige Frau tat keinen Wank und streckte ihre bloßen Arme tragisch in unsere Richtung, über den dunklen und glitzernden Fluß hin.«

»Und dann fing diese kindische Bande unten auf dem Deck damit an, die Sau rauszulassen, und ich konnte vor lauter Rauch nichts mehr sehen.«

»Der braune Fluß strömte rasch aus dem Herzen der Finsternis heraus und trug uns doppelt so schnell als bei unsrer Fahrt flußaufwärts dem Meer entgegen; und auch das Leben von Kurtz zerrann rasch, floß und floß aus seinem Herzen ins Meer der unerbittlichen Zeit hinaus. Der Direktor war sehr friedlich geworden, er hatte keine lebensbedrohenden Ängste mehr, sah uns beide mit verständnisvollen und befriedigten Blicken an: die ›Affäre‹ hätte gar nicht besser verlaufen können. Ich sah die Zeit näher rücken, in der ich das letzte Mitglied der

Partei der ›kranken Methode‹ sein würde. Die Pilger betrachteten mich voller Abscheu. Ich gehörte, sozusagen, bereits zu den Toten. Seltsam, wie leicht ich diese unvorhergesehene Partnerschaft akzeptierte, den Albtraum, der mir in diesem dunklen Land aufgezwungen wurde, das von den gemeinen und gierigen Gespenstern um mich herum erobert worden war.«

»Kurtz sprach. Eine Stimme! Eine Stimme! Sie klang und dröhnte bis zuletzt. Sie überlebte seine Kraft, die armselige Finsternis seines Herzens hinter den glanzvollen Faltenwürfen seiner Beredsamkeit zu verbergen. Oh, er kämpfte! Er kämpfte! In den Weiten seines schwachen Hirns jagten sich Schattenbilder, Bilder von Reichtümern und von Ruhm, die – als habe er eine unendliche Trauer zu verarbeiten – von seiner unauslöschbaren Gabe, sich vornehm und gewählt auszudrücken, mitgewirbelt wurden. Meine Braut, meine Station, meine Karriere, meine Ideen – davon sprach er, wenn er dann noch einmal in den edelsten Gefühlen schwelgte. Der Schatten des ursprünglichen Kurtz stand zuweilen neben dem Bett des hohlen Scharlatans, dessen Schicksal war, in naher Zukunft im Dreck der urzeitlichen Erde begraben zu werden. Aber sowohl die teuflische Liebe zu den Geheimnissen, die er entschlüsselt hatte, als auch der unirdische Haß auf sie kämpften um den Besitz dieser Seele, die mit primitiven Gefühlen vollgesogen war, nach verlogenem Ruhm gierte, nach Auszeichnungen für nichts und wieder nichts, nach allen Erscheinungsformen des Erfolgs und der Macht.«

»Zuweilen war er trostlos kindisch. Er wünschte sich, Könige empfingen ihn an Bahnhöfen, wenn er aus irgendeinem grauslichen Nichts zurückkäme, wo er große Dinge zu vollbringen beabsichtigte. ›Wenn Sie denen zeigen, daß in Ihnen etwas steckt, aus dem man Profit schlagen kann, wird die Hochachtung, die man Ihnen entgegenbringt, grenzenlos sein‹, sagte er mehr als einmal. ›Natürlich müssen Sie die richtigen Motive vorschützen – die richtigen Motive – immer.‹ Die langen Flußabschnitte, die jeder wie der nächste aussahen, die gleichförmigen, einander aufs Haar gleichenden Biegungen glitten am Dampfer vorbei, und die vielen vielen uralten Bäume blickten geduldig hinter diesem verrußten Fragment einer andern Welt drein, diesem Vorboten des Wandels, der Eroberung, des Handels, der Massaker, der Wohltaten. Ich sah nach vorn – steuerte. ›Schließen Sie die Luke‹, sagte Kurtz eines Tages plötzlich. ›Ich kanns nicht mehr ertragen, das anzusehen.‹ Ich schloß die Luke. Wir schwiegen. ›Oh, dir reiß ich das Herz schon noch aus dem Leib!‹ rief er der unsichtbaren Wildnis zu.«

»Wir hatten – wie erwartet – eine Panne und mußten an der Spitze einer Insel anlegen, um das Schiff zu reparieren. Diese Verzögerung brachte Kurtz zum ersten Mal aus der Fassung. An einem Morgen gab er mir einen Packen Papiere und eine Fotografie – das Ganze mit einem Schnürsenkel verknotet. ›Bewahren Sie das für mich auf‹, sagte er. ›Dieser gefährliche Trottel‹ (er meinte den Direktor) ›könnte durchaus in meinen Kisten herumstöbern, wenn ich mal nicht hinschau.‹ Am Nachmittag kümmerte ich mich wieder um ihn. Er lag mit geschlossenen Augen auf dem Rücken, und ich zog mich leise zurück, hörte ihn jedoch murmeln. ›Lebe richtig, sterbe, sterbe …‹ Ich lauschte. Nichts mehr. Probte er im Schlaf eine Rede, oder war das ein Fragment eines Satzes für irgendeinen Zeitungsartikel? Er hatte für Zeitungen geschrieben und wollte es wieder tun, ›um meine Ideen zu verbreiten. Es ist meine Pflicht‹.«

»Ihn umgab eine undurchdringliche Finsternis. Ich sah ihn an, so wie man auf einen Mann niedersehen mag, der tief unten, da wo die Sonne nie hinscheint, in einer Schlucht liegt. Aber ich hatte nur wenig Zeit für ihn übrig, weil ich dem Maschinisten half, die lecken Zylinder auseinanderzunehmen, eine verbogene Pleuelstange geradezubiegen und ähnliches. Ich lebte in einem höllischen Durcheinander aus Rost, Feilstaub, Muttern, Bolzen, Schraubenziehern, Hämmern, Bohrern – Dingen, die ich verabscheue, weil ich mit ihnen nicht zu Rande komme. Ich bediente die kleine Schmiede, die wir glücklicherweise an Bord hatten; mühte mich wacker in einem Haufen Schrott ab – bis ich ein solches Schüttelfieber hatte, daß ich nicht mehr stehen konnte.«

»Als ich an einem Abend mit einer Kerze zu ihm hereinkam, hörte ich ihn zu meiner Verblüffung ein bißchen zittrig sagen: ›Ich liege hier im Dunkeln und warte auf den Tod.‹ Das Licht war eine Handbreit von seinen Augen entfernt. Ich zwang mich, ›Ach Unsinn!‹ zu murmeln, und stand wie vom Schlag getroffen über ihm.«

»Niemals habe ich eine solche Veränderung in einem Gesicht gesehen, und ich hoffe, nie mehr so was zu sehen. Oh, ich war nicht gerührt. Ich war fasziniert. Es war, als sei ein Schleier zerrissen. Ich sah düstern Stolz, erbarmungslose Gewalt, feigen Schrecken auf diesem Gesicht aus Elfenbein, tiefe und hoffnungslose Verzweiflung. Lebte er sein Leben nochmals, jeden einzelnen Wunsch, jede Versuchung und alle Hingabe, während jenes höchsten Augenblicks vollkommenen Wissens? Flüsternd schrie er etwas irgendeinem Bild entgegen, einer Vision – er schrie zweimal, nicht lauter als sein Atmen:

›Das Grauen! Das Grauen!‹«

»Ich blies die Kerze aus und verließ die Kabine. Die Pilger saßen in der Messe beim Essen, und ich setzte mich auf meinen Stuhl dem Direktor gegenüber, der die Augen hob und mich fragend ansah, was ich erfolgreich ignorierte. Er lehnte sich heiter zurück, mit jenem besonderen Lächeln, das die unformulierten Tiefen seiner Gemeinheit versiegelte. Kleine Fliegen prasselten ununterbrochen gegen die Lampe, das Tischtuch, unsre Hände und Gesichter. Plötzlich streckte der Boy des Direktors seinen unverschämten schwarzen Schädel zur Tür herein und sagte in einem Ton verletzender Verachtung:

›Herr Kurtz – er tot.‹«

»Alle Pilger stürzten davon, um sich das anzusehen. Ich blieb sitzen und aß weiter. Ich glaube, sie hielten mich für äußerst gefühllos. Allerdings aß ich nicht viel. Es gab eine Lampe dort drinnen – Licht, versteht ihr –, und draußen war es schrecklich, schrecklich dunkel. Ich ging nicht mehr in die Nähe dieses bemerkenswerten Menschen, der ein Urteil über die Abenteuer seiner Seele auf dieser Erde gefällt hatte. Die Stimme war verflogen. Was blieb übrig? Aber ich bin mir natürlich bewußt, daß die Pilger am nächsten Tag etwas in einem Schlammloch begruben.«

»Und dann hätte nicht viel gefehlt, und sie hätten auch mich begraben.«

»Aber wie ihr seht, bin ich Kurtz keineswegs Hals über Kopf nachgefolgt. Nein. Ich blieb am Leben, träumte den Albtraum zu Ende und bewies Kurtz damit einmal mehr meine Loyalität. Schicksal. Mein Schicksal! Eine seltsame Sache, das Leben – diese geheimnisvolle Anordnung gnadenloser Logik für ein nichtiges Ziel. Das Höchste, was man von ihm erwarten darf, ist ein bißchen Selbsterkenntnis – die zu spät kommt – einen Haufen Zeug, das man entsetzlich bedauert. Ich habe mit dem Tod gerungen. Einen weniger erregenden Zweikampf kann man sich gar nicht vorstellen. Er findet in einem unfaßbaren Grau statt, ohne festen Boden, ohne irgendwelche Dinge um einen herum, ohne Zuschauer, ohne Lärm, ohne Ruhm, ohne eine starke Sehnsucht nach dem Sieg, ohne große Angst vor der Niederlage, in einer krankhaften Atmosphäre lauer Skepsis, ohne einen starken Glauben an das eigene Recht und mit einem noch viel schwächeren an das deines Gegners. Wenn das die Gestalt ist, die die höchste Weisheit annimmt, dann ist das Leben ein größeres Rätsel, als einige von uns denken. Um ein Haar hätte auch ich mein letztes Wort sprechen müssen, und ich merkte beschämt, daß ich wahrscheinlich nichts zu sagen wüßte. Das ist der Grund, weshalb ich sage, daß Kurtz ein bemerkenswerter Mann war. Er hatte etwas zu sagen. Er sagte es. Da ich selber auf die andere Seite hinübergeluchst habe, verstehe ich die Bedeutung seines Blicks besser, der zwar die Kerzenflamme nicht sehen konnte, aber umfassend genug war, das ganze Weltall zu erkennen; durchdringend genug, alle Herzen zu durchschauen, die in der Finsternis schlagen. Er hatte Bilanz gezogen – er hatte ein Urteil gefällt. ›Das Grauen!‹ Er war ein bemerkenswerter Mann. Schließlich war dies der Ausdruck einer Art von Glauben; und der war lauter, überzeugt, hatte – wenn auch nur geflüstert – einen zitternden Nebenton der Revolte, das schauerliche Gesicht einer nur kurz gesehenen Wahrheit – ein fremdartiges Mischmasch aus Gier und Haß. Und ich erinnere mich nicht an *meinen* Todeskampf am genauesten – eine formlose Vision in Grau, voll physischen Schmerzen, und eine nachlässige Verachtung für die Vergänglichkeit aller Dinge – sogar für diesen gegenwärtigen Schmerz. Nein! *Seinen* Todeskampf scheine ich durchlebt zu haben. Allerdings hatte er ja auch jenen letzten Schritt getan, er war auf die andere Seite hinübergegangen, während mir erlaubt worden war, meinen zögernden Fuß zurückzuziehen. Und vielleicht ist das der ganze Unterschied; vielleicht sind alles Wissen, und alle Wahrheit, und alle

Aufrichtigkeit just in diesen einen winzigen Augenblick konzentriert, da wir über die Schwelle des Unsichtbaren treten. Vielleicht! Ich kann nur hoffen, daß *mein* letztes Wort weder gleichgültig noch verachtungsvoll geworden wäre. Sein Schrei war besser gewesen – viel besser. Er war eine Bejahung, ein moralischer Sieg, der mit zahllosen Niederlagen, entsetzlichen Schrecken, entsetzlichen Befriedigungen bezahlt worden war. Aber er war ein Sieg! Darum bin ich Kurtz bis zum Schluß treu geblieben, und lange darüber hinaus, weil ich viel später zwar nicht seine eigene Stimme, aber das Echo ihrer großartigen Beredsamkeit nochmals hörte, das mir eine Seele zurief, die so durchsichtig und rein wie Kristall war.«

»Nein, sie begruben mich nicht, obwohl es einen Zeitraum gibt, an den ich mich nur dumpf erinnere, schaudernd und verwundert, als sei ich durch eine unfaßbare Welt ohne Hoffnung und Lust hindurchgegangen. Plötzlich war ich wieder in der Stadt, die wie eine Totengruft aussieht, und die Leute dort gingen mir auf die Nerven, wie sie durch die Straßen rannten, um einander ein bißchen Geld auszureißen, um ihren trostlosen Fraß herunterzuschlingen, um ihr ungesundes Bier zu trinken, um ihre bedeutungslosen und dummen Träume zu träumen. Sie überschwemmten mein Denken. Sie drangen in mich ein, Menschen, deren Lebenserfahrungen für mich irritierend und anmaßend waren, weil ich ganz genau fühlte, daß sie von dem, was ich wußte, keine Ahnung hatten. Sie betrugen sich so, wie sich hundsgewöhnliche Individuen benehmen, die ihren Geschäften in der Gewißheit völliger Sicherheit nachgehen, und das machte mich wütend, weil sie in ihrer Blödheit völlig übertriebene Grimassen zu schneiden schienen, angesichts einer Gefahr, die zu erkennen sie unfähig waren. Ich hatte nicht sehr viel Lust, ihnen auf die Sprünge zu helfen, aber ich hatte einige Mühe, ihnen nicht in die Gesichter zu lachen, die so dumm und wichtig dreinschauten. Ich muß anfügen, daß es mir damals nicht besonders gut ging. Ich stolperte durch die Straßen – ich mußte Verschiedenes erledigen – und grinste völlig ehrbare Menschen bitter an. Ich gebe zu, daß mein Betragen unentschuldbar war, aber meine Körpertemperatur war in jenen Tagen selten normal. Die Anstrengungen meiner lieben Tante, ›mich wieder zu Kräften zu bringen‹, gingen völlig daneben. Nicht meine Muskeln brauchten frische Nahrung, nein, meine Phantasie wollte sich beruhigen. Ich hatte immer noch das Papierbündel, das Kurtz mir gegeben hatte, und wußte nicht recht, was ich damit anfangen sollte. Seine Mutter war kürzlich gestorben, betreut, wie man mir erzählte, von seiner Braut. Ein glattrasierter Mann, der sehr amtlich tat und eine Brille mit einem Goldrand trug, tauchte eines schönen Tags bei mir auf und fragte – zuerst vorsichtig, dann mit sanftem Druck – nach etwas, was er ›gewisse Dokumente‹ zu nennen beliebte. Ich war nicht überrascht, weil ich ihretwegen mit dem Direktor zwei heftige Zusammenstöße gehabt hatte. Ich hatte mich geweigert, auch nur den kleinsten Fetzen aus jenem Packen herauszurücken, und ich verhielt mich dem Brillenmann gegenüber genau gleich. Er stieß schließlich dunkle Drohungen aus und argumentierte erhitzt, daß die Gesellschaft ein Recht auf jegliche Information über ihre ›Territorien‹ habe. Und er fügte hinzu: ›Herrn Kurtz' Kenntnisse der unerforschten Gebiete können gar nicht anders als umfassend und besonders gewesen sein – wenn ich seine großen Fähigkeiten und die bedauerlichen Umstände in Betracht ziehe, in die er geraten ist; darum –‹ Ich versicherte ihm, daß Herrn Kurtz' Kenntnisse, wie umfassend auch immer sie gewesen sein mochten, nichts mit den Problemen des Handels und der Administration zu tun gehabt hätten. Daraufhin sprach er im Namen der Wissenschaft. ›Es wäre ein unersetzlicher Verlust, wenn‹ etc. etc. Ich bot ihm den Bericht über die ›Unterdrückung wilder Bräuche‹ an, ohne das Postskriptum. Er nahm ihn gierig, rümpfte aber schließlich verachtungsvoll die Nase. ›Das ist nicht das, was zu erwarten wir ein Recht haben‹, bemerkte er. ›Erwarten Sie nichts anderes‹, sagte ich. ›Es gibt nur private Briefe.‹ Er zog ab, dunkel mit irgendwelchen gerichtlichen Schritten drohend, und ich hörte nie wieder etwas von ihm; ein anderer Bursche jedoch, der behauptete, ein Cousin von Kurtz zu sein, stand zwei Tage später vor der Tür und wollte unbedingt alles und jedes über die letzten Augenblicke seines lieben Verwandten hören. Nebenbei ließ er mich wissen, daß Kurtz allem andern voran ein großer Musiker gewesen sei. ›Er hatte das Zeug dazu, ungeheure Triumphe zu feiern‹, sagte der Mann, der, glaube ich, Organist war und glatte, graue Haare hatte, die über einen speckigen Mantelkragen herabflossen. Ich hatte keinen Anlaß, an seiner Aussage zu zweifeln; und bis heute kann ich nicht sagen, welchen Beruf Kurtz hatte, ob er überhaupt einen hatte – welche seiner Begabungen die größte war. Ich hatte ihn für einen Maler gehalten, der für Zeitungen schrieb, oder andersrum für einen Journalisten, der malen konnte – aber sogar sein Cousin (der während des Gesprächs Tabak schnupfte) konnte mir nicht sagen, was er gewesen war – genau. Er war ein Universalgenie – in diesem Punkt stimmte ich mit dem guten Mann überein, der sich daraufhin geräuschvoll in ein großes Baumwolltaschentuch schneuzte und sich mit einem senilen Eifer aus dem Staub machte; ein paar unwichtige Familienbriefe und Memoranden mitnahm. Schließlich kreuzte ein Journalist auf, der unbedingt etwas über das Schicksal seines ›lieben Kollegen‹ erfahren wollte. Dieser Besucher gab mir zu verstehen, daß die eigentliche Domäne von Kurtz die Politik hätte sein müssen, ›auf der Seite des Volks‹. Er hatte buschige, gerade Augenbrauen, einen Bürstenschnitt, ein Monokel an einem breiten Band und gestand mir, als er langsam auftaute, daß Kurtz seiner Meinung nach überhaupt nicht schreiben konnte – ›aber, Herr im Himmel!, wie konnte der Mann reden. Er riß riesige Versammlungen mit. Er war vom Glauben erfüllt – verstehen Sie? – er war von seinem Glauben erfüllt. Er konnte sich selber so weit bringen, daß er alles glaubte – alles. Er wäre ein großartiger Führer einer extremistischen Partei geworden.‹ ›Welcher Partei?‹ fragte ich. ›Jeder Partei‹, antwortete er. ›Er war ein – ein – Extremist.‹ Ob ich nicht seiner Ansicht sei? Ich stimmte ihm zu. Ob ich wisse, fragte er, jäh neugierig geworden, was ihn wohl ›dort hinausgetrieben‹ habe? ›Ja‹, sagte ich und übergab ihm unverzüglich jenen berühmten Bericht, damit er ihn, falls er ihn für geeignet hielt, publizieren konnte. Er überflog ihn in aller Eile, brummte unentwegt in seinen Bart hinein, kam zum Schluß, ›daß das schon hinhaut‹, und schob mit dem Zeug ab.«

»So hatte ich schließlich nur noch ein dünnes Päckchen Briefe und das Porträt des Mädchens. Ich fand sie schön – ich meine, sie hatte einen schönen Gesichtsausdruck. Ich weiß schon, man kann mit Hilfe des Sonnenlichts lügen, dennoch aber hatte ich das Gefühl, daß keine Manipulation mit dem Licht oder der Haltung den zarten Schein der Wahrhaftigkeit auf diesen Gesichtszügen hätte bewirken können. Sie schien bereit, ohne Vorbehalte zuzuhören, ohne Argwohn, ohne an sich selbst zu denken. Ich beschloß, sie aufzusuchen und ihr ihr Bild und jene Briefe persönlich zurückzugeben. Neugier? Ja; und vielleicht einige andere Gefühle. Alles, was zu Kurtz gehört hatte, war meinen Händen entglitten: seine Seele, sein Körper, seine Station, seine Pläne, sein Elfenbein, seine Karriere. Es blieben nur die Erinnerung und seine Braut – und in einem bestimmten Sinn wollte ich auch sie loswerden – wollte persönlich alles, was mich an ihn erinnerte, jenem Vergessen übergeben, das das letzte Wort unsres gemeinsamen Schicksals ist. Ich verteidige mich nicht. Ich wußte selbst nicht genau, was ich wirklich wollte. Vielleicht wars ein Impuls unbewußter Loyalität, oder vielleicht vollzog ich eine jener ironischen Unausweichlichkeiten, die in den

Gegebenheiten der menschlichen Existenz verborgen sind. Ich weiß es nicht. Ich kanns euch nicht sagen. Aber ich ging zu ihr.«

»Ich dachte, die Erinnerung an ihn gleiche den andern Erinnerungen an Tote, die sich im Leben eines jeden Menschen anhäufen – einer undeutlichen Schattenspur im Gehirn, die dort nach ihrem plötzlichen und endgültigen Abschied zurückgeblieben war; aber vor der hohen und schweren Tür, zwischen den riesigen Häusern einer Straße, die so still und anständig wie ein gepflegter Friedhofsweg wirkte, sah ich ihn plötzlich ganz genau vor mir, wie er auf der Bahre lag, seinen Mund gierig aufriß, als wolle er die ganze Erde mitsamt allen Menschen verschlingen. Er lebte damals vor mir; er lebte so sehr wie eh und je – ein Schatten, der unersättlich nach dem glanzvollen Schein gierte, nach etwas furchterregend Wirklichem; ein Schatten, der schwärzer als die Schatten der Nacht war und vornehm in den Faltenwurf seiner überwältigenden Beredsamkeit gehüllt. Alles, was ich da sah, schien mit mir zusammen das Haus zu betreten – die Bahre, die Träger dieses Gespenstes, die wilde Menge der unterwürfigen Götzendiener, der düstere Wald, der glitzernde Fluß zwischen den verdämmernden Biegungen, das Dröhnen der Trommel, das regelmäßig und gedämpft wie das Pochen eines Herzens war –

des Herzens einer Finsternis, die gesiegt hatte. Es war ein Augenblick des Triumphs für die Wildnis, ein überschwemmendes und rachedurstiges Gefühl, das ich, so schien es mir wenigstens, einzig und allein zurückhalten mußte, um einer andern Seele nicht weh zu tun. Und mir fiel wieder ein, was ich ihn dort weit in der Ferne hatte sagen hören, während die Hörnerschatten in meinem Rücken tanzten, die Feuer glühten, der Wald geduldig wartete – plötzlich waren jene verstümmelten Sätze wieder da, und ich hörte sie erneut in ihrer unheimlichen und erschreckenden Einfachheit. Ich erinnerte mich an sein mieses Flehen, seine miesen Drohungen, das kolossale Ausmaß seiner trostlosen Gelüste, an die Gemeinheit, die Qual, die Angst seiner Seele. Und später glaubte ich seine gefaßte, erschöpfte Art wieder vor mir zu sehen, in der er eines Tags sagte: ›Dieser Posten Elfenbein gehört nun wirklich mir. Die Gesellschaft hat nichts dafür bezahlt. Ich habe ihn unter den größten persönlichen Risiken zusammengetragen. Ich fürchte, sie werden ihn trotzdem für sich beanspruchen. Hm, ein schwieriger Fall. Was meinen Sie, was soll ich tun – Widerstand leisten? Hä? Ich will nur Gerechtigkeit.‹… Er wollte nur Gerechtigkeit – einfach nur Gerechtigkeit. Ich klingelte an einer Tür aus Mahagoniholz im ersten Stock, und während ich wartete, schien er mich aus dem glänzenden Getäfel anzustarren – mit jenem weiten und gewaltigen Blick, der das ganze All umfaßte, verurteilte und haßte. Mir schien, ich hörte seinen gehauchten Schrei: ›Das Grauen! Das Grauen!‹«

»Es dämmerte. Ich mußte in einem hohen Salon mit drei schmalen Fenstern warten, die vom Boden bis zur Decke reichten und wie drei leuchtende Säulen mit Vorhängen aussahen. Die gebogenen, vergoldeten Beine und Rückenlehnen der Möbel schimmerten undeutlich. Der hohe Marmorkamin war kalt, ein weißes Denkmal. Ein großes Klavier stand wie ein Klotz in einer Ecke; mit dunklen Glanzlichtern auf der spiegelglatten Oberfläche, wie ein düsterer und auf Hochglanz polierter Sarkophag. Eine hohe Tür ging auf – und wieder zu. Ich erhob mich.«

»Sie kam näher, ganz in Schwarz, mit einem bleichen Schädel, schwebte in der Dämmerung auf mich zu. Sie trug Trauer. Seit seinem Tod war mehr als ein Jahr vergangen, mehr als ein Jahr, seit sie die Nachricht erhalten hatte; sie sah aus, als wolle sie immer an ihn denken und ewig um ihn trauern. Sie nahm meine beiden Hände in die ihren und murmelte: ›Ich wußte bereits, daß Sie kommen würden.‹ Mir fiel auf, daß sie nicht sehr jung war – ich will sagen, kein junges Mädchen. Sie war reif genug, treu zu sein, zu glauben, zu leiden. Das Zimmer schien dunkler geworden zu sein, als habe all das traurige Licht des wolkenverhangenen Abends auf ihrer Stirn Zuflucht gefunden. Diese blonden Haare, dieses bleiche Gesicht, diese reine Miene schienen von einem aschenfarbenen Hof umgeben zu sein, aus dem mich ihre dunklen Augen ansahen. Sie blickten offen, tief, vertrauensvoll und aufrichtig. Sie trug ihren kummervollen Kopf so, als sei sie auf diesen Kummer stolz, als wolle sie sagen: Ich – nur ich kann so um ihn trauern, wie er das verdient. Aber während wir uns immer noch die Hände schüttelten, wurde ihr Gesicht so schrecklich verzweifelt, daß mir klar wurde: sie war eins jener Geschöpfe, die nicht der Spielball der Zeit sind. Für sie war er erst gestern gestorben. Und, weiß der Himmel!, der Eindruck war so machtvoll, daß er auch für mich erst gestern gestorben zu sein schien – quatsch, eben jetzt erst. Ich sah sie und ihn im selben Augenblick – seinen Tod und ihren Kummer – ich sah ihren Kummer im Augenblick seines Todes. Versteht ihr? Ich sah sie zusammen – ich hörte sie zusammen. Sie hatte, tief einatmend, gesagt: ›Ich habe überlebt‹, während meine überwachen Ohren deutlich – vermischt mit dem Klang ihrer verzweifelten Trauer – das Flüstern hörten, das seine ewige Verdammnis in Worte faßte. Ich fragte mich, wo zum Teufel ich da hingeraten war, und spürte eine panische Angst in mir hochsteigen, als habe es mich an einen Ort grausamer und absurder Geheimnisse verschlagen, die ein menschliches Wesen nicht zu Gesicht kriegen durfte. Sie dirigierte mich zu einem Stuhl. Wir setzten uns. Ich legte das Papierbündel artig auf den kleinen Tisch, und sie schob ihre Hand darüber… ›Sie kannten ihn gut‹, murmelte sie nach einem Augenblick trauervoller Stille.«

»›Dort unten kennt man sich schnell gut‹, sagte ich. ›Ich kannte ihn so gut, wie ein Mensch einen andern kennen kann.‹«

»›Und Sie bewunderten ihn‹, sagte sie. ›Das gabs gar nicht, daß man ihn kannte und nicht bewunderte. Stimmts?‹«

»›Er war ein bemerkenswerter Mann‹, sagte ich und fühlte mich unbehaglich. Und als sie mich weiterhin flehend und starr ansah – sie schien die Wörter, die noch kommen mußten, von meinen Lippen ablesen zu wollen –, fuhr ich fort: ›Es war unmöglich, ihn nicht –‹«

»›Zu lieben‹, vollendete sie so eifrig den Satz, daß ich verstummte und erschrocken und blöd dasaß. ›Wie haben Sie recht! Wie haben Sie recht! Aber wenn Sie denken, daß niemand ihn so gut wie ich kannte! Ich hatte sein ganzes edles Vertrauen. Ich kannte ihn am besten.‹«

»›Sie kannten ihn am besten‹, wiederholte ich.

Und vielleicht stimmte das. Aber mit jedem Wort, das gesprochen wurde, wurde das Zimmer dunkler, und nur ihre glatte und weiße Stirn leuchtete weiterhin im unauslöschbaren Licht des Glaubens und der Liebe.«

»›Sie waren sein Freund‹, fuhr sie fort. ›Sein Freund‹, wiederholte sie ein bißchen lauter. ›Sie müssen es gewesen sein, wenn er Ihnen das da gegeben und Sie zu mir geschickt hat. Ich fühle es, mit Ihnen kann ich sprechen, und, oh!, ich muß mit Ihnen sprechen. Ich will – *Sie* haben seine letzten Worte gehört –, daß Sie wissen, daß ich seiner würdig gewesen bin ... Das ist nicht Stolz ... Ja! Ich bin stolz zu wissen, daß ich ihn besser als jeder andere auf Erden verstand – das hat er mir selber gesagt. Und seit seine Mutter gestorben ist, habe ich niemanden – niemanden – dem – dem ich –‹«

»Ich hörte ihr zu. Die Finsternis wurde größer. Ich war nicht einmal sicher, ob er mir das richtige Bündel gegeben hatte. Ich habe eher das Gefühl, er wollte mir einen andern Papierhaufen anvertrauen, in dem ich den Direktor nach seinem Tod im Schein der Lampe blättern sah. Und das Mädchen sprach und linderte ihren Schmerz, weil sie meines Mitgefühls sicher war; sie sprach so, wie durstige Menschen trinken. Ich hatte gehört, ihre Familie sei über ihre Verlobung mit Kurtz eher unglücklich gewesen. Er war ihnen nicht reich genug, oder so was. Und in der Tat weiß ich nicht, ob er nicht zeit seines Lebens arm wie eine Kirchenmaus gewesen ist. Er hatte mir einigen Anlaß gegeben zu denken, er sei dort hinaus gegangen, weil ihn seine relative Armut ungeduldig gemacht hatte.«

»›... Wer wurde nicht sein Freund, der ihn einmal sprechen hörte?‹ sagte sie gerade. ›Er zog die Menschen an, indem er ihr Bestes weckte.‹ Sie sah mich eindringlich an. ›Das ist die Begabung der Großen‹, fuhr sie fort, und der Klang ihrer leisen Stimme schien von all den andern Klängen begleitet zu werden, die ich einst gehört hatte, voller Geheimnisse, Verzweiflung und Kummer – vom Plätschern des Flusses, vom Stöhnen der Bäume, die vom Wind gebeutelt wurden, vom Gemurmel von Menschenmassen, vom schwachen Echo unverständlicher, aus der Ferne gerufener Wörter, vom Hauchen einer Stimme, die jenseits der Schwelle einer ewigen Finsternis sprach. ›Aber Sie haben ihn gehört! Sie wissen!‹ rief sie.«

»›Ja, ich weiß‹, sagte ich und fühlte so etwas wie Hoffnungslosigkeit in meinem Herzen, neigte jedoch mein Haupt vor dem Glauben, der in ihr war, vor der großen und rettenden Illusion, die mit unirdischer Glut in der Finsternis leuchtete, in der Finsternis, die gesiegt hatte und vor der ich sie nicht hätte schützen können – vor der ich nicht mal mich schützen konnte.«

»›Welch ein Verlust für mich – für uns!‹ – sie verbesserte sich in schönem Großmut; fügte dann murmelnd hinzu: ›Für die Welt.‹ In den letzten Resten des Dämmerlichts konnte ich ihre glitzernden Augen sehen, die voller Tränen standen – Tränen, die nicht strömen konnten.«

»›Ich bin sehr glücklich gewesen – vom Glück verwöhnt – sehr stolz‹, fuhr sie fort. ›Allzu verwöhnt. Zu glücklich für eine kleine Weile. Und jetzt bin ich unglücklich – mein – mein Leben lang.‹«

»Sie erhob sich; ihre blonden Haare schienen alles Licht, das noch übrig war, in einem Schimmer aus Gold einzufangen. Ich stand auch auf.«

»›Und von all dem‹, fuhr sie voller Trauer fort, ›von all dem, was er versprach, von seiner Größe, seiner großzügigen Art, seinem vornehmen Herzen bleibt nun nichts übrig – nichts als eine Erinnerung. Sie und ich –‹«

»›Wir werden uns immer seiner erinnern‹, sagte ich hastig.«

»›Nein!‹ rief sie. ›Es kann nicht wahr sein, daß all dies verloren sein soll – daß solch ein Leben hingeopfert wird und nichts bleibt – nichts als Kummer. Sie wissen, welch gewaltige Pläne er hatte. Ich kannte sie auch – vielleicht verstand ich sie nicht – aber andere kannten sie. Etwas muß bleiben. Seine Worte zum mindesten sind nicht gestorben.‹«

»›Seine Worte werden bleiben‹, sagte ich.«

»›Und sein Beispiel‹, sagte sie sehr leise zu sich selbst. ›Die Menschen sahen zu ihm auf – seine Güte leuchtete aus jeder seiner Handlungen. Sein Beispiel –‹«

»›Genau‹, sagte ich. ›Auch sein Beispiel. Ja, sein Beispiel. Das hatte ich vergessen.‹«

»›Aber ich nicht. Ich kanns nicht glauben – ich kanns nicht – noch nicht. Ich kann nicht glauben, daß ich ihn nie wieder sehen werde, daß niemand ihn jemals wieder sehen wird, nie, nie, nie.‹«

»Sie streckte ihre Arme aus, wie hinter einer entfliehenden Gestalt drein, breitete sie schwarz und mit verkrampften blassen Händen über dem verlöschenden und schmalen Lichtstreifen des Fensters aus. Ihn niemals wieder sehen! Ich sah ihn deutlich genug. Ich werde dieses beredte Gespenst sehen, solange ich lebe, und sie werde ich auch sehen, einen tragischen und vertrauten Schatten, der dank dieser Gebärde einem andern gleicht, einem ebenso tragischen und mit machtlosen Amuletten geschmückten, der seine bloßen braunen Arme über den glitzernden, teuflischen Strom hinstreckt, den Strom der Finsternis. Sie sagte plötzlich sehr leise: ›Er starb so, wie er lebte.‹«

»›Sein Ende‹, sagte ich, und eine dumpfe Wut stieg in mir hoch, ›war seines Lebens in jeder Weise würdig.‹«

»›Und ich war nicht bei ihm‹, murmelte sie. Meine Wut machte einem grenzenlosen Mitleid Platz.«

»›Alles, was zu tun in unsrer Macht stand –‹ stammelte ich.«

»›Ah, aber ich glaubte mehr als jeder andere auf Erden an ihn – mehr als seine eigene Mutter, mehr als – er selbst. Er brauchte mich! Mich! Ich hätte jeden Seufzer, jedes Wort, jedes Zeichen, jeden Blick wie einen Schatz aufgehoben.‹«

»Ich fühlte, wie eine eisige Hand nach meinem Herzen griff. ›Hören Sie auf‹, sagte ich mit kaum hörbarer Stimme.«

»›Verzeihen Sie. Ich – ich habe so lange schweigend getrauert – schweigend... Waren Sie bei ihm – bis zuletzt? Ich denke daran, wie einsam er war. Niemand bei ihm, der ihn so verstand, wie ich ihn verstanden hätte. Vielleicht hörte niemand seine –‹«

»›Bis ganz zuletzt‹, sagte ich zitternd. ›Ich hörte seine letzten Worte...‹ Ich hielt erschrocken inne.«

»›Sagen Sie sie mir‹, murmelte sie mit brechender Stimme. ›Ich möchte – ich möchte – etwas – etwas haben – mit – womit ich leben kann.‹«

»Ich hätte ihr ums Haar entgegengeschrien:

›Hören Sie sie nicht?‹ Die Dämmerung wiederholte sie ständig, flüsternd, von überall her, immer lauter und drohender, so wie ein aufkommender Wind zu flüstern beginnt: ›Das Grauen! Das Grauen!‹«

»›Seine letzten Worte – damit ich mit ihnen leben kann‹, sagte sie unnachgiebig. ›Verstehen Sie denn nicht, daß ich ihn liebte – ich liebte ihn – ich liebte ihn!‹«

»Ich riß mich zusammen und sprach langsam.«

»›Das letzte Wort, das er sagte, war – Ihr Name.‹«

»Ich hörte einen schwachen Seufzer, und dann setzte mein Herz aus, hielt jäh inne, weil sie einen jubelnden und entsetzlichen Schrei ausstieß, einen Schrei unvorstellbaren Triumphs und unnennbarer Qual. ›Ich wußte es – ich war sicher!‹... Sie wußte es. Sie war sicher. Ich hörte sie weinen; sie hatte ihr Gesicht in den Händen verborgen. Ich hatte das Gefühl, das Haus stürze ein, bevor ich entkommen konnte, der Himmel falle mir auf den Kopf. Aber nichts geschah. Der Himmel fällt einem nicht wegen nichts und wieder nichts auf den Kopf. Hätte er es getan, frage ich mich, wenn ich Kurtz jene Gerechtigkeit hätte widerfahren lassen, die ihm zustand? Hatte er nicht gesagt, er wolle Gerechtigkeit und nichts als das? Aber ich schaffte es nicht. Ich konnte es ihr nicht sagen. Es wäre zu finster gewesen – viel zu finster ...«

Marlow verstummte und saß da, abseits, kaum zu sehen und still, wie ein meditierender Buddha. Niemand rührte sich, eine Weile lang. »Wir haben gar nicht gemerkt, daß die Ebbe eingesetzt hat«, sagte plötzlich der Direktor. Ich hob den Kopf. Über der Flußmündung hing eine schwarze Wolkenwand, und das träge Wasser, das die entferntesten Enden der Erde erreicht, floß dunkel unter einem bedeckten Himmel – schien ins Herz einer gewaltigen Finsternis hineinzufließen.

Nachwort von Urs Widmer

»Der Mensch ist ein bösartiges Tier. Seine Bösartigkeit muß organisiert werden. Das Verbrechen ist eine notwendige Bedingung der organisierten Existenz. Die Gesellschaft ist ihrem Wesen nach kriminell, sonst würde sie nicht existieren. Der Egoismus rettet alles – absolut alles –, was wir hassen, was wir lieben. Und alles bleibt so, wie es ist. Ebendies ist der Grund, warum ich die extremen Anarchisten achte. ›Ich erhoffe die allgemeine Ausrottung‹ – sehr gut. Das ist gerecht, und, mehr noch, es ist klar. Wir gehen mit Worten Kompromisse ein. Es hilft uns auch nicht weiter. Es ist wie ein Wald, in dem niemand den Weg kennt. Man ist verloren, während man noch ruft: ›Ich bin gerettet!‹«

Joseph Conrad in einem Brief
an Cunnighame Graham,
2. 2. 1899

Die Erzählung *Herz der Finsternis,* die man auch einen kurzen Roman nennen mag, ist ein ganz diesseitiges, durch und durch realistisches Buch – das wahrhaftige Abbild einer in dieser Form untergegangenen Wirklichkeit – und gleichzeitig eines, das direkt aus dem Unbewußten heraus zu sprechen scheint, und direkt zu unserem. Es ist besonnen, es ist genau, und es gehorcht dennoch, von Gefühlen glühend, radikal und ausschließlich den Gesetzen unserer Seelen, die sich, zeitlos und archaisch, nicht um die zeitverhafteten Regeln der Außenwelt kümmern. *Herz der Finsternis* beschreibt eine Reise, die man Schritt für Schritt wiederholen könnte, und ist dennoch ein Traum, wie im Traum geschrieben, mit der Sicherheit eines Traums, der bekanntlich keine »Fehler« macht. Es ist der Bericht eines im wachen Leben erlittenen Albs, den Conrad nur mit Glück und für sein restliches Leben angeschlagen überstand. *Herz der Finsternis,* das die letzte Reise Conrads beschreibt, ein Abenteuer, das ums Haar tödlich ausgegangen wäre, ist ein besonderes Buch auch in seinem an Höhepunkten reichen Werk. Gewiß sind alle Bücher Conrads überrumpelnd »notwendig« – andere konnte er, der es in Fragen des künstlerischen Ernstes und der schöpferischen Skrupel mit Meistern wie Tolstoi oder Flaubert aufnahm, gar nicht schreiben. Eines der Kennzeichen dieses ungewöhnlichen Werks ist just seine unabweisbare Notwendigkeit. Jede Geschichte konnte nur so werden, nicht anders, und jeder glaubt man, daß sie genau so geschehen sei. »Alles ist möglich«, schrieb er im Vorwort seines kurzen Romans *The*

Nigger of the ›Narcissus‹, »aber die Wahrheit liegt nicht darin, daß die Dinge möglich sind, sondern in ihrer Unentrinnbarkeit. Sie ist die einzige Gewißheit; sie ist das Wesen des Lebens selbst – wie das der Träume.« Dennoch nimmt *Herz der Finsternis* eine Sonderstellung ein. Es ist eins der wenigen Bücher und gewiß das erste, das wie in Trance geschrieben wurde, in einem einzigen Rausch der Schöpfung und ohne die sonst üblichen monatelangen Pausen des Haderns und Zweifelns. Die eruptive Befreiung von einem lastenden Druck. Wie durch den Trichter einer Sanduhr rasten Conrad die Wörter auf ein schwarzes Zentrum zu, für das er, durch den Mund seines bewunderten und gehaßten Helden Kurtz, nur den Begriff »Das Grauen« fand. Eine erlebte und gelebte Geschichte, die in den neun Jahren, während denen sie in Conrad ruhte – und er sich mit andern Büchern abquälte –, allen Ballast des Zufälligen abwarf, so daß sie, als er sie plötzlich und ohne Vorwarnung schrieb, nur noch aus Elementen bestand, die die Kraft eines Mythos angenommen hatten. Als Conrad 1899 seine Erlebnisse im Kongo formulierte, war er ein seßhafter Mann geworden und beinah schon so etwas wie ein berühmter Schriftsteller. Nicht zuletzt hatten ihn allerdings die Gesundheitsschäden, die ihm das Kongo-Abenteuer eingebrockt hatte (Dysenterie,

Fieberanfälle), dazu gezwungen, seine Reisen nur noch im Kopf zu unternehmen. Nicht mehr auf wirklichen Schiffen zu wirklichen, zuweilen abstrus abgelegenen Zielen hin.

Er war ein besessener Reisender gewesen, und nun war er ein besessener Schreiber geworden. Er konnte zwanzig und mehr Stunden hintereinander am Schreibtisch sitzen und arbeiten. Die wilde Bewegung, unbewegt am Tisch sitzend, wurde sein Gesetz, so wie, bis zu seinem sechsunddreißigsten Lebensjahr, die reale Bewegung sein Gesetz gewesen war. Kein Weg war ihm zu weit gewesen, zu beschwerlich. Kein Ort der Erde schien weit genug von jenem Ort seiner Kindheit entfernt zu sein, wo er seine ersten fünf Jahre, seine wie ein Glücksversprechen erinnerten frühen Jahre verbracht hatte und nach dem er sich, trotz oder wegen seiner wilden Flucht, lebenslang und hoffnungslos sehnte. Ja, nach keiner Heimat sehnt man sich heftiger als nach der, die man nicht gehabt hat. In der irrealen Hoffnung, das einst kaum gesehene oder gar – in einer in Tat und Wahrheit schwierigen Wirklichkeit – nur geahnte Paradies spät dennoch herstellen zu können, suchen manche buchstäblich bis zu ihrem Tod nach jenen längst verklungenen Tagen, jenem versunkenen Ort. Erfolglos alle, erfolglos allein schon deshalb, weil die zerrinnende Zeit die Hauptbeteiligten, Vater und Mutter, notwendig mit sich gerissen hat, Joseph Conrad jedenfalls brach so schwungvoll in die weite Welt auf, daß er aufpassen mußte, nicht unversehens von der andern Seite der Erdkugel her auf seinen Kindheitsort zu stoßen. Wahrscheinlich wollte er das. Sicher jedenfalls war seine Flucht, die ihn sogar in eine andere Sprache hineinführte, die Kehrseite der Medaille, die Kindheitsgeborgenheit heißt. Das Meer dann – er weist uns selber darauf hin – wurde ihm zu der sanften Hügellandschaft seiner entschwundenen Heimat. Ein erfundenes Polen aus Wasser. Das Meer, das auch bei Conrad grausam sein kann, zeigt bei ihm dennoch nie die absolute Tödlichkeit, die es bei Melville und im wirklichen Leben hat. Es schützt auch, es trägt. Nein, die gefährdetsten Momente sind die, da Conrads Helden sich am weitesten vom Meer entfernt bewegen. Auch im wirklichen Leben Conrads war das so. Das Herz der Finsternis, ein geographisch bestimmbarer Ort am Fuß der Stanley-Fälle, liegt so ziemlich in der Mitte Afrikas, in einem undurchdringlichen Urwald, nahezu zweitausend Kilometer von der Küste entfernt. Hier ist der Mensch ausgeworfen und ohne Rettung, nicht auf hoher See, und herrsche auf ihr auch der schrecklichste Taifun.

Joseph Conrad, der eigentlich Józef Teodor Konrad Korzeniowski hieß, wurde 1857 in Berditschew geboren, einem Städtchen, das einst in Polen gelegen hatte und nun zum vom Zaren beherrschten Gouvernement Kiew gehörte. So stolperte er mit seinen ersten Schritten schon in die gefährliche Welt der Politik – er mied sie später und verlor sie dennoch nie aus den Augen –, denn sein Vater war ein Revolutionär, der alles Russische haßte und, als Józef fünf Jahre alt war, wegen seiner Beteiligung am Aufstand von 1861 in die Verbannung geschickt wurde. Diese war nicht Sibirien, der sichere Tod, sondern ein Ort auf dem Weg dahin, nördlich von Moskau. Er reichte aus, seine Frau umzubringen und ihn zu ruinieren. Józef war sieben Jahre alt, als seine Mutter, und elf, als sein Vater starb. Er hatte, krank, nach Warschau zurückkehren dürfen, ins geliebte Polen, und der kleine Józef ging ganz allein hinter dem Sarg des toten Vaters – das Erlebnis prägte sich ihm unauslöschlich ein –, ganz allein: und hinter ihm, in einem gehörigen Abstand des Respekts, schier die ganze Stadt. Der Vater war ein Volksheld geworden, den das Gedächtnis der von der Geschichte mißhandelten Polen noch lange nicht vergaß. Józef wurde dann von einem Onkel großgezogen, einem großzügigen und klugen Mann, der ihm zweifellos recht eigentlich das Leben rettete. Dennoch floh er aus diesem Polen, das so viel Elend über seine Kindheit gebracht hatte, so früh er nur konnte, mit sechzehn Jahren und dem durchaus absonderlichen Plan, ein britischer Seemann zu werden. Er wurde es. Er lernte englisch und erwarb 1886 das Kapitänspatent. Das Schicksal, das die ihm eigene Ironie an Conrad besonders eifrig auslebte, wollte dann, daß dieser, nach so vielen Mühen, ein einziges Kommando innehatte, oder anderthalb, wenn man die paar hundert Kilometer Flußfahrt dazurechnet, auf denen Conrad jenen Schrottdampfer befehligte, der der zerbrechliche Held von *Herz der Finsternis* ist. Der Kapitän war krank geworden, und der zu der Zeit nicht ganz so kranke Conrad, der auf seiner ersten Fahrt den Fluß hätte kennenlernen sollen, sprang für ihn ein. Vorher, 1888 und 1889, hatte er auf der Kommandobrücke eines Seglers gestanden, der zwischen Mauritius, Bangkok und Australien Kunstdünger und Zucker transportierte. Aber weil er in Port Louis um die Hand einer jungen Dame angehalten hatte, die diese bald darauf einem andern überließ, wollte er nicht mehr dorthin fahren und gab sein Kommando auf. Vielleicht hatte er noch triftigere Gründe. Jedenfalls kehrte er plötzlich nach London zurück, begann *Almayer's Folly* zu schreiben und suchte eine neue Stellung. Diese wurde seine Fahrt mit der »Roi des Belges« den Kongo hinauf.

Er war nicht mehr der erste Weiße, der das tat,

aber er gehörte immer noch zur Generation der Pioniere. Lange Jahre, Jahrhunderte, hatte die Unzugänglichkeit des Kongo-Gebiets seine Ureinwohner geschützt. Es bestand aus Wald, Wald und nochmals Wald, und der riesige Strom, der die Wasser eines ganzen Flüssesystems zum Meer führt, stürzt auf seinen letzten Kilometern in riesigen Fällen zu diesem hinunter, so daß es unmöglich war und ist, mit Schiffen in ihn einzufahren. Erst hinter den Fällen, die nach Livingstone benannt sind, obwohl dieser sie nie gesehen hat, öffnet sich der Strom und führt ins Innere des Landes, bis endlich jene andern, von Henry Morton Stanley entdeckten Fälle ihn erneut unschiffbar machen. So wurden zwar die Küstengebiete früh entdeckt – die Portugiesen errichteten ihre erste Handelsstation am Ende des 11. Jahrhunderts –, ins Innere jedoch drangen die europäischen Kolonialisten erst im späten 19. Jahrhundert, wenige Jahre vor Joseph Conrad nur. Zwar waren die Briten, der in der Nähe von Liverpool geborene Wahl-Amerikaner Stanley allen voran, die kühnsten Forscher gewesen – die Geschichte des Kongo schrieben dann aber die Belgier, schrieb *ein* Belgier, König Leopold II. nämlich, ein würdig aussehendes Monster in Frack und Zylinder, dem es gelang, jahrzehntelang die Öffentlichkeit an der Nase herumzuführen und seinen privaten, mit äußerster Grausamkeit geführten Ausbeutungskrieg als honorigen Handel, Forschung und Philantropie hinzustellen.

Es ist nur auf den ersten Blick verblüffend, daß der Kongo, das wahre Herz Afrikas, so viel später als sozusagen alle andern Regionen des Kontinents erforscht wurde. Er war schreckerregend unzugänglich, ungesund und gefährlich. Vor allem aber löste er in niemandem jenen von unsern eignen Mythen und Träumen genährten Forscherdrang aus, der, von Mungo Park bis Stanley, noch jeden Afrikaforscher zu seinen kühnen Taten antrieb. Kein europäisches Denken stand in irgendeinem Zusammenhang mit dem Kongo. Er war kein Nil, an dem die Wiege unserer Zivilisation stand und dessen Quellen schon Ptolemäus in einem seltsamen Knäuel inmitten von Seen und schneebedeckten Bergen gezeichnet hatte: verblüffend genau. Er war auch kein Niger, an dessen Ufern die Alten bereits, und zu Recht, das sagenhafte Timbuktu vermuteten. Er war einfach eine Menge unbekanntes Wasser, das irgendwo ins Meer floß. Und so wurde er tatsächlich durch ein Mißverständnis erforscht, ein sehr bezeichnendes, weil nämlich ein Forscher, und gleich der damals prominenteste von allen, Dr. David Livingstone, hoch oben in den Savannen um den Mweru-See ein nordwärts fließendes Gewässer entdeckt hatte, von dem er bald einmal felsenfest glaubte, es sei der so lange gesuchte junge Nil. Er selber konnte seine Hypothese nicht mehr überprüfen, starb 1873, aber sein um eine Generation jüngerer Freund, Schüler und Nachfolger Stanley (»Dr. Livingstone, I presume«) tat es, fuhr den vermeintlichen Nil hinunter und landete, statt in Kairo und Alexandria, an der afrikanischen Westküste. Der Nil hatte seine letzten Rätsel noch nicht enthüllt. Aber der Kongo war entdeckt.

Um genau zu sein und um die völlige Ahnungslosigkeit anzudeuten, in der, mindestens damals, unterschiedliche Kulturen miteinander lebten: den Arabern, vor allem den dynamischen Handelsherren von Sansibar, war der Kongo keineswegs fremd. Sie drangen seit langem und regelmäßig ins Innere Afrikas ein, kauften und verkauften, jagten Sklaven – bis in Conrads Tage und als letzte überhaupt – und begleiteten endlich auch Stanley den vermeintlichen Nil hinunter. Diese Fahrt, die nur allzu oft ein Marsch durch undurchdringlichen, sumpfigen Urwald war, wurde eines der mörderischsten Unternehmen der an Katastrophen reichen Erforschungsgeschichte Afrikas, übertroffen wohl nur von der absurden Hilfsexpedition für Emin Pascha von 1887, die wiederum von Stanley geleitet wurde – er war inzwischen ein wohl nicht nur ahnungsloser

Angestellter Leopolds II. geworden – und in denselben Wäldern 400 Opfer forderte, die unter den unglaublichsten Umständen zugrunde gingen. Aber schon bei der Fahrt, die den Kongo überhaupt erst als Kongo definierte, war es ein rechtes Wunder, daß einige Teilnehmer, unter ihnen Stanley, ihr Ziel oder wenigstens ein Ziel erreichten. Die, die nach drei Jahren das Meer endlich zu Gesicht bekamen, hatten 7500 Kilometer zurückgelegt. Sie hatten, wenn Stanleys Zählung korrekt ist, 92 Mal mit Eingeborenen gekämpft, von denen viele – zu Recht, zu Unrecht – als Kannibalen galten. Sie waren in Ehren empfangen worden und hatten andere Male ihr Leben nur mit Mühe und Not gerettet. Und als sie endlich, endlich der Westküste näher kamen – die Idee, auf dem Nil zu fahren, hatten sie schon lange aufgegeben; es war ihnen klar, daß ihr Gewässer nur der Kongo sein konnte –, als sie auf die ersten Spuren europäischer Zivilisation stießen, waren diese, was sonst?, Gewehre. Die vermeintlichen Steinzeitmenschen schossen zurück. Die Aufrüstung Schwarzafrikas hatte begonnen. Sofort wurden auch alle Glasperlen und Messingdrähte wertlos, der ganze Eintauschschrott, und die Expeditionsteilnehmer litten, weil die einheimischen Händler auf modernen Zahlungsmitteln beharrten, mehr und mehr Hunger. Als sie das Meer beinah schon riechen konnten, brachten die 32 Katarakte der Livingstone-Fälle einige wirklich, die andern beinah um. Völlig erschöpft erreichten die Übriggebliebenen die Handelsstation Boma am breiten Unterlauf des Flusses, wo Joseph Conrad ganze dreizehn Jahre später eintraf, um die Reise in umgekehrter Richtung zu machen. Das tollkühnste aller Abenteuer war bereits so etwas wie Routine geworden, und eine ganze Reihe von Dampfschiffen verkehrte inzwischen zwischen dem Stanley-Pool – dem heutigen Kinshasa – und dem Landesinnern.

Joseph Conrad kam als ein Angestellter der »Compagnie du Congo pour le Commerce et l'Industrie« bzw. ihrer Filiale, der »Société Anonyme Belge pour le Commerce du Haut-Congo«, der die Muttergesellschaft sowohl die »Florida«, Conrads im Stanley-Pool abgesoffenes Kommando, als auch die »Roi des Belges«, auf der er dann seine Reise unternahm, überlassen hatte. Im Grunde war es egal, wessen Angestellter er war: sowieso gehörte der Kongo dem König von Belgien, Leopold II., als Privatbesitz, und entsprechend benahm sich dieser so honorig aussehende Monarch. In der blutigen Geschichte der kolonialistischen Ausbeutung hat er sich die Hände blutiger als so ziemlich alle andern gemacht. In einem in der Rückschau grandios wirkenden Coup war es Leopold 1885 auf der

Kongo-Konferenz von Berlin gelungen, die rivalisierenden Großmächte – Deutschland, Frankreich, England und die USA – gegeneinander auszuspielen und ihnen als Lösung vorzuschlagen, ihm jenes von Europa aus immer noch undeutlich sichtbare Gebiet zu überlassen. So wurde der »Freistaat Kongo« gegründet, ein Gebilde, das nicht etwa eine Kolonie Belgiens war, sondern Leopolds persönlicher Kontrolle unterstand. Wenn jemand mit Recht »L'état c'est moi« sagen durfte, dann er. Und auf der Stelle begann er, das unerwartete Geschenk der sich und nur sich auf die Finger schauenden Großmächte auszuschlachten, still und heimlich, und dies auf eine so brutale Art, daß dreißig Jahre später, als seine Untaten deutlich wurden, die Welt entsetzt aufheulte. Leopold hatte den Kongo in ein Konzentrationslager verwandelt, in dem kein Recht oder nur das des skrupellosesten Freibeutertums herrschte. Die Eingeborenen wurden zu Zwangsarbeit gezwungen, gequält, gefoltert, ermordet. Tausenden wurden lebendigen Leibs die Hände abgehackt, allein weil die Compagnie ihren Beamten für jeden getöteten Rebellen eine Prämie zahlte und die Hände als Beweis forderte. Es galt nur der Profit, auf jeder Stufe der Beteiligung, und natürlich machte der skrupellose Monarch, der den Kongo zeit seines Lebens nie betrat, den größten Gewinn.

Niemand kann heute sagen, wieviel, aber als er 1907 starb – nicht gerade in Ehren, denn seine Untaten waren ruchbar geworden, aber rechtzeitig, bevor er von irgendwem zur Rechenschaft gezogen werden konnte –, gehörten ihm unter anderem Liegenschaften überall in Europa im damaligen Wert von achtzig Millionen Dollar.

Dabei hatten er und seine Helfershelfer eine Reihe von Strategien entwickelt, unerwünschte Zeugen fernzuhalten. Es gab verschiedene Zonen, und in der, die dem internationalen Handel zugedacht war, herrschte immerhin ein Anschein von Recht. Die wirkungsvollste Strategie aber war, nur Männer zu engagieren, die sich, von der Aussicht auf schnellen Gewinn getrieben, so sehr in die Untaten verwikkeln ließen, daß sie später darüber zu schweigen vorzogen. (Stanley, ein harter Bursche, aber kein genuines Ungeheuer, gehörte zu ihnen.) Aber natürlich ließ es sich dennoch nicht vermeiden, daß einzelne zu viel sahen, zu viel errieten. Joseph Conrad wurde einer von ihnen, einer der ersten, und wir verstehen besser, als er es damals tat, wieso Camille Delcommune (der im Roman als der Leiter der »Zentralstation« auftritt und der Niederlassung der S. A. B. in Kinshasa vorstand) ihn auf der Stelle wieder loswerden wollte. Mit der untrüglichen Witterung des Ausbeuters hatte er beim ersten Gespräch schon Conrads hohe Moral erkannt; Moral aber, gar eine hohe, durfte man in seinen Diensten keine haben. So war er gottfroh, daß die »Florida«, Conrads vertraglich zugesichertes Kommando, leck im Fluß lag und daß er sonst nichts für ihn zu tun hatte. Nur, er machte seine Rechnung ohne den Wirt, denn in seiner Handelsstation machte Conrad die Bekanntschaft des Mannes, der später bei der Aufdeckung der Untaten Leopolds II. die bedeutendste Rolle spielen sollte: Roger David Casements, eines sechsundzwanzig Jahre alten Iren, der beim Bau der Eisenbahn von Matadi zum Stanley-Pool hinauf mitwirkte. Die beiden verstanden sich auf Anhieb, führten lange Gespräche, und es ist keine Frage, daß Casement dem Neuankömmling die Augen geöffnet hat. Er jedenfalls hatte sie bereits weit offen, kam später, als die Belgier ihn loswerden wollten, in einer offiziellen Funktion, nämlich als britischer Konsul, in das Höllengebiet zurück und sammelte mit der Zeit ein so erdrückendes Material, daß der Bericht, den er 1904 veröffentlichte, der Anfang vom Ende des Freistaats wurde. Conrad, dessen zwei Jahre zuvor erschienenes Buch von den Lesern durchaus verstanden worden war – nämlich als realitätsgerechtes Pamphlet gegen die kolonialistische Ausbeutung – und das sie darauf vorbereitete, den Beweisen Casements zu glauben, blieb diesem lebenslang verbunden: bis die Engländer ihren ehemaligen Konsul 1916 wegen seiner Beteiligung am irischen Unabhängigkeitskampf hinrichteten.

Joseph Conrad, der nach seinem kurzen Gastspiel als Kapitän im Indischen Ozean von sich glaubte, er steige auf jedes Schiff, egal wohin es fahre, setzte in Wirklichkeit Himmel und Hölle in Bewegung – sogar seine Tante Marguerite Ponadowska, eine in Brüssel lebende Literatin –, um ein ganz bestimmtes Kommando zu bekommen, eins zudem, das gewiß kein anderer Kapitän der britischen Handelsmarine angenommen hätte: ein Schiff auf dem Kongo. Es war die Erfüllung eines Kinderwunsches. Das Innere Afrikas war jener besonders weiße Fleck auf der Landkarte, nach dem sich der kleine Józef träumend gesehnt hatte, und der Kongo, als er dann entdeckt war, jene Schlange, die ihn so sehr faszinierte. Daß der Wunsch und seine Erfüllung dann so heftig auseinanderklafften, macht die affektive Spannung aus, mit der er seine Reise unternahm und später sein Buch schrieb. Er versuchte darin, sich den Kinderwunsch trotz allem zu erfüllen, die unerwartete Wirklichkeit dennoch mit aller Schärfe zu sehen *und* diese als eine Leinwand für die anders nicht artikulierbaren Schrecken seiner Seele – aller Seelen? – zu benützen. Als Metapher für das anders offenkundig nicht faßbare Tosen unnennbarer Gefühle. Es war die Quadratur des Kreises, und Conrad hielt später denn auch, anders als wir, seine Geschichte für gescheitert. »Zu symbolisch« nannte er sie, der allerdings mit seinen eigenen Schöpfungen nie zufrieden war.

Wenn man nicht allzu genau hinsieht, kann man sagen, daß Conrad alles so erlebt hat, wie es in seinem Bericht zu lesen ist. Das stimmt zwar nicht – es gibt Abweichungen, und sie sind an einzelnen Stellen markant –, aber wir sollten immerhin nicht vergessen, daß just die makabersten Episoden keine Erfindung sind. Die schwarzen Zwangsarbeiter starben tatsächlich so hilflos, wie das die Szene im Totenhain festhält, sie *wurden* in Ketten gehalten und führten sinnlose Arbeiten aus, und das Elfenbein *wurde* ihnen zu den unwürdigsten Bedingungen entrissen. 1500% Gewinn war keine Ausnahme. Man kann und muß *Herz der Finsternis,* obwohl darin die Gesetze der Literatur und nicht die der journalistischen Dokumentation herrschen, als die »Wahrheit« lesen. Wie Marlow, sein Alter ego, bekam Conrad sein Kommando, weil sein Vorgänger, ein Däne namens Freiesleben (Fresleven im Buch) von Eingeborenen umgebracht worden war. Wie Marlow fuhr er auf einem französischen Schiff, der »Ville de Maceio«, bis Boma, und von dort – ebenfalls mit einem schwedischen Kapitän – nach Matadi am Fuß der Fälle. Auch er marschierte dann auf der von Stanleys Arbeitskommando kurz zuvor gebauten »Straße« zur Station am Stanley-Pool hinauf, zu den paar Häusern, die noch nicht mal Leopoldsville, geschweige denn Kinshasa hießen – sein »Tagebuch« hält seine Erlebnisse fest –, traf unterwegs denselben angedudelten Straßenaufseher mit seinen arabischen Begleitern, fand ebenfalls einen Erschossenen am Wegrand, hatte seine Probleme mit einem fettleibigen Begleiter namens Prosper Harou, der getragen werden mußte und bald einmal von den Trägern in ein Dickicht geworfen wurde, hielt seinen eingeborenen Begleitern eine ähnliche Rede in einem mimischen Englisch, kam endlich – viel zu spät, nach Delcommunes Ansicht – in der »Zentralstation« an, fand dort sein Schiff nicht vor und fuhr trotzdem den Fluß hinauf. Er erreichte die Handelsstation am Fuß der Stanley-Fälle, lud einen todkranken Agenten namens Klein ein, der auf der Rückreise starb, wurde selber schwer krank und mußte den Kongo, für den Rest seines Lebens angeschlagen, nach nur sechs Monaten wieder verlassen. (Die wesentlichsten Abweichungen sind: Conrad mußte sein Schiff, die »Florida«, keineswegs eigenhändig vom Flußboden hochhieven und reparieren. Er fuhr statt dessen auf der »Roi des Belges«, einem 17,5-Tonnen-Kahn, den Fluß hinauf, nun, da dieses Schiff – das bis in alle Einzelheiten dem des Buchs entspricht – ja einen Kapitän hatte, als ein irgendwie überflüssiger Gast, dessen einzige Aufgabe es war, den Fluß kennenzulernen. So entstand das *Up-river-Book,* eine Navigationshilfe für künftige Fahrten, zu denen es dann nie kam. – Der Fluß war auch nicht mehr *ganz* so einsam. Andere Schiffe fuhren auf ihm. Aber nur 13 Jahre nach seiner Entdeckung hatte er seine Wildheit noch nicht verloren. – In der »Innern Station« endlich lag zwar tatsächlich ein Herr Klein im Sterben, der Namensgeber von Kurtz: er war aber nicht der Grund der Reise, und er war schon gar nicht das herausragende Monster, als das Kurtz geschildert wird. Er war wohl einfach ein normal skrupelloser Agent, weiter nicht auffallend. Die Forschung hat denn auch mehrere andere Vorbilder für Kurtz aufgetrieben – an sadistischen Mördern herrschte im Kongo kein Mangel –, aber ich denke, daß Kurtz in seiner verführerischen Ungeheuerlichkeit der Einbildungskraft Conrads entsprungen ist. – Entsprechend erfunden sind also auch alle Kämpfe mit den Eingeborenen. Die wirkliche Reise verlief konfliktfrei. – Und schließlich sind die beiden Frauen, die wie Irrlichter diese Männerwelt verstören und erleuchten, erdichtete Gestalten. Die schwarze Geliebte von Kurtz und seine europäische Verlobte. Und wenn die beiden Nornen des Beginns, die strickend und wissend Marlows Schicksalsfäden in Händen halten, reale Vorbilder hatten, so waren diese doch gewiß arglo-ser gewesen.)

Wahrheitsgetreuer Bericht also, erlebt und erlitten. Um so mehr bestürzt uns beim Lesen der Geschichte, daß jede Einzelheit mit einer Spannung aufgeladen ist, die über einen Tatsachenbericht weit hinausgeht. Von Anfang an, und zunehmend stärker, steht die Reise unter einem Druck, der sich mit den realen Gefahren einer solchen Unternehmung allein nicht erklären läßt. Marlows Erzählung, auf dem nachtschwarzen Deck der »Nellie« zu unsichtbaren Zuhörern gesprochen – als ob die Nacht selber erzählte –, »bedeutet« unübersehbar etwas. Ja, die »eigentliche« Geschichte, was immer sie sei, strömt bald so wuchtig daher, daß sie die Oberflächenstory wegzuspülen droht. Plötzlich nimmt man lesend nicht mehr oder nicht mehr nur an einer wie auch immer abenteuerlichen Reise ins Innere Afrikas teil, sondern wird Zeuge einer viel intimeren, existentiellen Unternehmung. Schon Conrads Zeitgenossen sahen nicht nur die antikolonialistische Botschaft der Erzählung, sondern auch ihre symbolische Aufladung, und so gab es sogleich – und gibt es bis heute – viele Deutungsversuche, die auch diese zweite Ebene verstehen wollten und wollen. So ist Marlows Fahrt gewiß zu Recht als eine Reise in die Zeit beschrieben worden, zurück zu den Ursprüngen, aus der unsere Triebe kanalisierenden Zivilisation in eine Welt, die keine Schranken und Fesseln kennt, in der ekstatische Erfüllung und gräßlichste Grausamkeit eins sind, als ein regelrechter Gang ins Innere der Erde hinunter, ins Totenreich, als eine Reise zu den Schatten der Hölle, des Paradieses vielleicht gar, zu unsern Urahnen, die wir nicht mehr verstehen, ja, als solche kaum noch erkennen. Als ein Gang zu den Müttern, im metaphorischen und wohl auch im ganz konkreten Sinn, zur Mutter, zur archaischen Mutter – die, alles spendend und alles vermögend, dem Kind Alles und Jedes ist –, eine Reise in jenen »dunklen Kontinent« ganz allgemein, von dem, in einer für dieses Buch zum mindesten überrumpelnd stimmigen Metapher, Sigmund Freud einst sprach, zu den Frauen also, ihrer geheimnisvollen Sexualität. Tatsächlich spiegelt ja sogar die Landschaft dieser von den heftigsten Trieben handelnden Geschichte – eines, wenn der schreckliche Begriff für einmal erlaubt sei, Männerbuchs *par excellence* – diese geheime oder wohl sogar offenkundige Bedeutung. Sie kann, warum nicht?, als eine ins Gigantische vergrößerte Frau gelesen werden. Marlow fährt staunend und immer erregter mit seinem Jammerkahn auf einem erst breiten, dann immer schmaler werdenden Fluß jenem einen Punkt entgegen – die Ufer rechts und links rücken ihm drohend immer näher –, an dem es nicht mehr weitergeht, es sei denn, er dringe in das Pflanzengewucher ein. Aber Marlow tut nicht, was Kurtz tut. Er bleibt auf dem Schiff. Er erkennt nicht, oder nur schattenhaft, was in den Gebüschen vorgeht. Von seiner Kommandobrücke aus, von der einen Rest Schutz spendenden Reling aus, späht er in das Blättergewirr, einem Jungen ähnlich, der sich hinter die sieben Schleier des Elternschlafzimmers geschlichen hat. Er nimmt auch so ziemlich das gleiche wahr: hie und da ein Stück Haut, im diffusen Nachtlicht aufblitzend, eine Fratze, ein Stöhnen, einen Schrei. Bewegungen. Stille dann wieder. Joseph Conrad erzählt eben *keine* Fahrt ins Herz der Finsternis, sondern die Geschichte des Mißlingens dieser Expedition. Marlow wagt den letzten Schritt nicht, und er wagt ihn nicht, weil er – zu Recht, zu Unrecht – zu wissen glaubt, daß er tödlich wäre. Für ihn, und gewiß auch für Conrad, stirbt Kurtz nicht an einem zufälligen Malariaanfall ohne Medikamente. Er stirbt, weil er sich seinen »unsagbaren Riten«, was immer sie seien, nicht gewachsen zeigt.

Wahrscheinlich stoßen wir hier auf den Punkt, an

dem Conrad sich scheitern fühlte und wo er zu dem befremdlichen Schluß kam, sein *Herz der Finsternis*, ein Meisterwerk aus einem Guß, sei ihm mißlungen. Auch er sah, zu einer abenteuerlichen Schreibreise aufgebrochen, an ihrem Ende nur diffuses Blättergeflirre. »Das Grauen!« Das mußte ihm, der auf Erkenntnis aus war, eine unbefriedigende Auskunft sein. Sie blieb dennoch die, mit der er, Marlow und wir Leser uns begnügen mußten und müssen. Auch Conrad machte wohl schreibend die alltägliche, wiewohl naturgemäß zumeist unbemerkt bleibende Erfahrung, daß man nicht sieht, wenn jene trickreiche Instanz, Abwehr genannt, es so will. Man kann noch so lange auf das Offenkundige starren: für das »Eigentliche«, das Ziel des Starrens, bleibt man blind.

Auch Marlow sieht also nicht in die innerste Kammer des Herzens der Finsternis hinein. Aber sonst ist er durchaus sehend. Seine lichte Qualität ist just, daß er Kurtz keinen Augenblick lang auf den Leim kriecht. (Der lächerlich-rührende Russe, diese Reinkarnation Conrads als junger Mann, tut das stellvertretend für ihn.) Marlow bewundert zwar Kurtz – er beneidet ihn rasend um seinen Mut, den Erkenntnisschritt ins Wilde hinein gewagt zu haben –, aber er bemerkt von allem Anfang an auch die elende Hybris dieses Manns, seine maßlosen

Größenphantasien, seine alles an sich reißende Gier. Daß er alles haben will, buchstäblich alles: so wie das einem kleinen Kind zuweilen einfallen mag, oder oft, oder ausschließlich, einem Erwachsenen aber für immer verwehrt ist. Kurtz' Leben nimmt sich für Marlow, und auch für uns, wie eine Orgie aus, aus der es kein Herauskommen mehr gibt, in der er seinen Trieben ausgeliefert bleibt, auch wenn die herrliche Ekstase in tödlichen Horror umschlägt, denn in der Wildnis lebt man nicht, um Marlow zu zitieren, »an zwei gute Adressen vertäut, mit einem Metzger um die eine, einem Polizisten um die andre Ecke«. So ist also diese Geschichte der Menschentriebe vielleicht doch eher eine unserer unersättlichen Gier als eine der Sexualität. Oder dieser nur auch, so nebenher – so wie der wuchtige Auftritt der vor Sinnlichkeit strotzenden schwarzen Prinzessin doch nicht mehr als eine Episode ist. Denn Kurtz ist in *allem* grenzenlos. Er sucht seine Erfüllung überall, so wie umgekehrt die Wildnis überall hingreift. (Auch auf dem Schiff sind die Kannibalen schon. Verzichten nur vorläufig darauf, Marlow und die Pilger zu essen, vermutlich, weil diese so unappetitlich aussehen.)

Vielleicht also handelt die Erzählung doch nur – nur! – davon, noch einmal mit der Mutter zu verschmelzen, von ihr, der Mutter Wildnis, nochmals alles zu bekommen: jenes Alles, das einst, in der Wirklichkeit, von einem Tag auf den andern so schmerzlich gefehlt hatte. Wie muß der kleine Józef sie vermißt haben, seine wirkliche Mama, die so jäh verschwand, während er sie doch mit jener nur in den Kindheitstagen möglichen grenzenlosen Hingabe liebte. Wie traurig war er da gewesen, und wie wütend! Ihn einfach so sitzenzulassen! Und tatsächlich oszilliert das Grundgefühl von *Herz der Finsternis,* der affektive Generalbaß, zwischen trauergetränkter Sehnsucht und Aggression. Zwischen jenem »grenzenlosen Leid« der Wilden, das Marlow einmal diagnostiziert, und dem überrumpelnden »Schlagt sie tot, die Bestien« von Kurtz. Die Weigerung Marlows, in den Urwald zu gehen, könnte dann auch seine Panik widerspiegeln, noch einmal den tödlichen Schrecken der Trennung, dieses Trauma aller Traumata, erleben zu müssen.

Marlow bleibt sich stets bewußt, daß Kurtz' Gier, Hemmungslosigkeit und Größenwahn nicht nur unmenschlich, sondern auch lächerlich sind. »Ihr hättet ihn hören sollen, wie er ›Mein Elfenbein‹ sagte«, berichtet er seinen Freunden. »Oh, ja, ich hörte ihn. ›Meine Braut, mein Elfenbein, meine Station, mein Fluß, mein –‹, alles gehörte ihm. Ich hielt den Atem an und wartete darauf, daß die Wildnis in ein gewaltiges Lachen ausbrach, das die Fixsterne an ihren Himmelsorten erbeben ließ. Alles gehörte ihm – aber das war ganz einfach Quatsch.« Und dann, beiläufig: »Es ging darum, herauszufinden, zu was *er* gehörte, wie viele Mächte der Finsternis ihn für sich beanspruchten.« Marlow sieht Kurtz, anders als alle andern in diesem Irrenhaus namens Kongo, als ein getriebenes Opfer, nicht als ein souverän Handelnder. Der Trieb treibt Kurtz, auch wenn dieser denken mag, er beherrsche ihn. Und der Trieb treibt ihn offenkundig nicht einfach nur auf das Lager der schönen Schwarzen, sondern zu den grausamsten Perversionen. Kurtz hat, einem Süchtigen gleich, keine Kraft, sich zu widersetzen. Mordet und wütet wie unter Zwang. Ist Kurtz etwa gar ein Porträt des leibhaftigen Königs Leopold?

Marlow rettet sich, weil er die Tödlichkeit der grenzenlosen Gier erkennt. Anders als Kurtz weiß er um die Qualität der Distanz. Der Grenzen. Er hat da Humor, wo Kurtz gnadenlos humorlos ist. (Die ganze Story wird, in all ihrer Tragik und Gefährlichkeit, von einer leise schwebenden Komik getragen.) Er sieht schließlich nur eine Lösung: den Rückzug in die Zivilisation, in die keineswegs heißgeliebte Kultur Europas, deren Leistung es aber ist, die Triebe so zu bändigen, daß sie einen nicht mehr auf der Stelle umbringen können. Daß man nicht mehr sofort zum Mörder wird. Die schwarze Prinzessin war nicht auszuhalten. Zu groß die Verführung, zu gewaltig die Wucht ihrer Sexualität. Die weiße, ihre zivilisierte Spiegelung im Brüssel des 19. Jahrhunderts, ist zwar immer noch ein dunkler Kontinent: immerhin ein halbwegs erforschter und einigermaßen domestizierter. Es ist eine fatale Wahl: die zwischen den schrankenlosen Leidenschaften, die den Tod bedeuten, und einem gedämpften Leben in einer Totengruft. Die Reise ins Herz der Finsternis endet mit einer Flucht. Aber auch zu Hause wirkt das Trauma noch nach. Neun Jahre später heißt die Diagnose immer noch »Das Grauen«. Marlow muß es sich nochmals von der Seele reden, immer noch tief bewegt, auch wenn er wie ein Buddha im Bug des Boots sitzt.

»Der Mensch ist ein bösartiges Tier«, befand Joseph Conrad. Er sah nur in unserer Kultur, in der britischen vor allem, eine Möglichkeit, die alles überschwemmenden Triebe der Menschen wenigstens einigermaßen zu kanalisieren, so daß ein soziales Leben und Überleben möglich wurde. Seine Kindheit – Pathos, Chaos, Leid – hatte ihn alles Revolutionäre hassen gelehrt. Aber er traute der Ordnung der Kultur, so sehr er sie anstrebte, nicht im geringsten. Er war zwar kein Wilder mehr, keiner mehr aus dem Herzen der Finsternis, aber er wußte nur allzu genau, wie dünn der Zivilisationsfirnis ist.

Er war Royalist und gab sich, wenn er mit seinen Gentlemen-Nachbarn verkehrte, als eine Art polnischer Landedelmann. Aber er wußte, daß jedes Leben aus den schreiendsten Widersprüchen besteht und daß keine soziale Organisation verhindern kann, daß wir Menschen uns als einsam und ausgeworfen erleben. »Es ist ein Wald, in dem niemand den Weg kennt. Man ist verloren, während man noch ruft: ›Ich bin gerettet!‹«